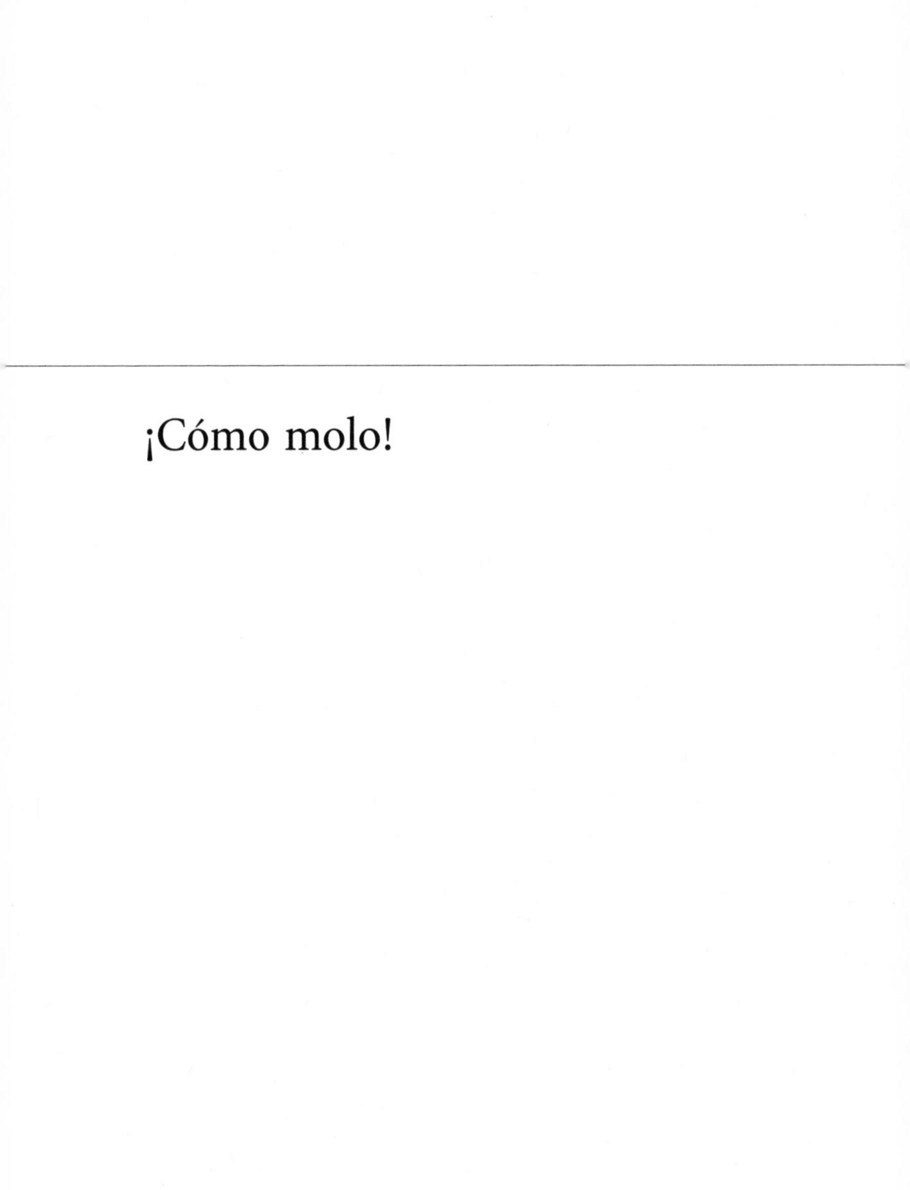

¡Cómo molo!

Seix Barral Biblioteca furtiva

Elvira Lindo
¡Cómo molo!

Ilustraciones de Emilio Urberuaga

Seix Barral, un sello editorial de Editorial Planeta, S. A.
Avda. Diagonal, 662-664, 08034 Barcelona (España)
www.seix-barral.es
www.planetadelibros.com

Diseño original de la colección: Josep Bagà Associats

Primera edición en Biblioteca furtiva: mayo de 2013
Segunda impresión: mayo de 2013
Tercera impresión: junio de 2013
Cuarta impresión: octubre de 2013
Quinta impresión: febrero de 2014
Sexta impresión: mayo de 2014
Séptima impresión: octubre de 2014
Octava impresión: junio de 2015
ISBN: 978-84-322-1494-3
Depósito legal: B. 7.559 - 2013
Composición: La Nueva Edimac, S. L., Barcelona
Impresión y encuadernación: Huertas Industrias Gráficas, S. A., Madrid
Printed in Spain - Impreso en España

El papel utilizado para la impresión de este libro es cien por cien libre de cloro
y está calificado como **papel ecológico**.

A Laura San José, para que su sonrisa
sea siempre tan bonita, y a Cesítar Lindo Junior,
para que se acuerde de mí desde tan lejos.

El otro día estábamos jugando a un rescate en un descampao que hay al lado de la cárcel de Carabanchel, cuando un coche paró con un frenazo tan brutal que le patinaron las cuatro ruedas. Yo pensé lo normal, que venían a secuestrarnos, a robarnos o a comprar nuestro silencio. Por si acaso, me puse detrás del Imbécil porque a mí el instinto de supervivencia es un instinto que me funciona a las mil maravillas, y hago lo que sea por salvar mi propio pellejo en situaciones difíciles. To-

dos nos quedamos paralizados: Yihad, Arturo Román, Paquito Medina, el Orejones... Sólo se oía el chupete del Imbécil, porque cuando se pone nervioso acelera el ritmo de chupeteos por minuto.

Entre el polvo que habían levantado las ruedas al frenar nos pareció ver a un enano que se bajaba del coche. Comprenderás que nuestros ojos estaban a punto de salirse de nuestras respectivas órbitas. Cuando salió el enano de la nube de polvo resultó que no era un enano, era un niño. Se quedó enfrente de nosotros sin saber qué decir. Luego salió un hombre que sería su padre y le dijo:

—Venga, llevamos toda la mañana buscándolo y ahora te vas a quedar callado.

¿Buscando a quién?, se preguntaron todas nuestras mentes. El niño por fin se atrevió a hablar:

—Estoy buscando a Manolito Gafotas.

Todos mis amigos me señalaron. El Imbécil se sacó el chupete y me señaló también. Ellos son como yo, su instinto de supervivencia también está muy desarrollado, y son capaces de entregar al primer desconocido que pase, a su mejor amigo o a su hermano si es preciso. Como yo al mío. Y no es por falta de cariño, es que el famoso instinto de supervivencia empieza por uno mismo.

De todas formas, era fácil adivinar que yo era el

Gafotas, teniendo en cuenta que soy el único en mi panda que lleva gafas.

—Es que he leído el libro sobre tu vida, Pobre Manolito, *y tengo algunas dudas —dijo el niño, y se sacó un papel del bolsillo.*

Las dudas del niño eran las siguientes:

1. *¿Por qué llamas al Imbécil el Imbécil?*
2. *¿Desde cuándo llevas gafas?*
3. *¿Nunca nadie te ha defendido de los ataques del chulito de Yihad?*
4. *¿Cuál es el verdadero nombre del Orejones López?*
5. *¿Por qué llamáis al parque el del Árbol del Ahorcado?*
6. *¿Por qué es Bernabé tu padrino? ¿Por qué la Luisa manda tanto en tu casa?*
7. *¿Por qué la Susana se llama Bragas-Sucias?*
8. *¿La fábrica de salchichas Oscar Mayer pertenece al padre del niño que va a tu clase?*
9. *¿Por qué si el Orejones es tu mejor amigo dices que es un cerdo traidor?*
10. *¿Podrías explicar mejor qué es eso de una colleja de efecto retardado?*

11. ¿Cuándo se compró tu abuelo su primera dentadura postiza?

12. ¿Cómo consiguió Jessica la ex gorda adelgazar?

13. ¿Por qué tu padre nunca está en casa?

14. ¿La Luisa compró a la Boni *o se la encontró en un basurero?*

No sigo porque el niño aquel se había traído lo menos cincuenta preguntas. El niño aquel era de otro barrio y había venido al mío sólo para disipar sus terribles dudas, bueno, y porque tenía una tía en Carabanchel (Alto), que todo hay que decirlo. Yo le dije al niño aquel que lo mejor que podía hacer era leerse el primer tomo de mi biografía y que pronto podría leerse el tercero, que es éste, por cierto. También le dije que había preguntas que ni yo ni nadie podía contestar, como por qué la Susana lleva siempre las bragas sucias, porque ése es el tipo de preguntas a las que ni los cien científicos de todo el mundo han podido dar respuesta. Entonces Yihad, que estaba verde de envidia incontenible porque yo fuera el protagonista por una vez en la historia, le dijo al niño aquel:

—Nadie tiene la obligación de leerse todos los li-

bros del Gafotas; yo con verle el careto ya tengo bastante.

El niño aquel dijo:

—¿Éste es Yihad?

—¿Cómo lo has sabido? —preguntó el Orejones, que es un poco lento en su coordinación mental.

—Y tú eres el Orejones.

—¡Tiene poderes de adivinación! —dijo ahora el Orejones. Yo creo que todavía no sabe por qué le llamamos Orejones.

—El que lleva la camiseta del Rayo Vallecano es Paquito Medina —siguió diciendo el niño adivinador.

El Imbécil abrió la boca de par en par de tanta admiración como estaba sintiendo, y el chupete se le cayó al suelo. Lo limpió con mi pantalón y se lo volvió a meter en la boca.

—Y éste es tu hermano, Manolito, el...

—El nene —le interrumpió el Imbécil.

—Es que sólo le gusta que le llame Imbécil yo, que soy su hermano y su líder.

—¿Y éste quién es? —preguntó el niño, señalando a Mostaza.

—Es Mostaza, mi nuevo amigo de toda la vida. En el tercer libro hay un capítulo dedicado a él.

—Mostaza tiene mucho morro, llega el último y sale más que ninguno —se quejó Arturo Román.

El niño adivinador también supo que el que había hablado era Román, que siempre se está quejando de lo mismo. Me dijo que le hubiera gustado mucho conocer a mi abuelo, ver si era tan cachondo como yo contaba, comprobar si a Bernabé se le notaba tanto el peluquín como yo decía, si era verdad que la Luisa y la Boni *(su perra) se parecían como dos gotas de agua, si las collejas de mi madre superaban en maestría a las de la suya, y sobre todo le hubiera molado tres kilotes de oro que mi padre le montara en el gran camión* Manolito, *de noche, con los faros encendidos, y tocar la bocina atronadora. Pero el padre del niño misterioso le gritó desde el coche que se le hacía tarde. Antes de irse me dijo:*

—En el próximo libro podrías hacer una lista con los nombres de todos los personajes y contando quiénes son, para que uno no se líe. Adiós, amigo.

El padre acercó el coche hasta nosotros y levantó otra polvareda. El amigo desconocido desapareció entre el humo y el coche arrancó tan rápidamente que hay veces que con el tiempo hemos llegado a pensar que fue una aparición sobrenatural, uno de esos fenó-

menos paranormales que tanto se dan en Carabanchel Alto y que traen hasta nuestro barrio a estudiosos con perilla de todo el mundo.

Gracias a mi amigo sin nombre me di cuenta de que desde que cuento mi vida tengo muchísimos más amigos de los que nunca hubiera podido imaginar, aunque no haya visto sus caras ni sepa sus nombres.

He escrito la lista que me pidió. Paquito Medina me ayudó a hacerla y me dijo que se llama «árbol genealógico», que es una cosa que hacen los reyes o gente, como yo, con interés histórico.

En la rama dedicada a los colegas hay un sitio libre para ti, para que escribas tu nombre y te dibujes o pongas una foto pequeña. Mi lema es que los mejores amigos son los que todavía están por conocer.

NUMQUAM VINCERE DEBITA
TESTAMENTO
TRANSPORTES
MANOLITO
DEUDA
1
2
3
4
5
6
7
8
9
10
11
12
13

1. El principio de los tiempos.

- 2. Algunos años más tarde del principio de los tiempos...

- 3. Un Manolito a cuatro ruedas

- 4. Yo y el rey de la casa

- 5. La Luisa, mi padrino Bernabé y la Boni, casi una hija para ellos, casi una prima para mí.

- 6. Mi tío Nicolás y su novia de Oslo.

- 7. Mi gran amigo Orejones López, un cerdo traidor con problemas sicológicos.

- 8. Yihad, un chulito problemático.

- 9. Susana Bragas-Sucias, un expediente X.

- 10. Mostaza, el dentista de la ópera.

- 11. Paquito Medina, su reino no es de este Mundo (Mundial).

- 12. Tú mismo.

- 13. La Srta Asunción, la directora del Penal donde estudio.

COMO MILLONARIOS

A final de curso, cuando entregué en casa las notas, mi madre sólo leyó el despiadado suspenso que mi *sita* me había puesto en Matemáticas. El aprobado en el resto le importaba un pimiento. Salió a llorar en los brazos de su Luisa del alma. Mi abuelo me dijo:

—Tu madre equivocó su carrera, podría haber sido una gran actriz de carácter.

Durante los días siguientes me miraba con los ojos inundados en rencor, recordándome a cada momento que yo era ese niño tan burro que había suspendido una asignatura chupada. Tanta manía me cogió que el día en que la Luisa se despidió porque se iba a su mansión de Miraflores de la Sierra, mi madre le dijo para que yo lo oyera:

—Pues nosotros no nos vamos por culpa del mocoso este, que nos tiene a su padre y a mí sin dormir por culpa del dichoso suspenso.

A mí me dio una pena muy grande tener a un padre y a una madre sin dormir, mirando al techo en silencio y pensando en un hijo al que no le entra la tabla del nueve, una tabla que no le deseo yo ni a mi peor enemigo.

Me fui a un rincón, concretamente detrás del mueble-bar, y me puse a llorar (me puse a llorar un poco alto para que me oyeran: llorar en solitario y por las buenas me parece una pérdida de tiempo). Cuando mi madre vino a por mí al cabo del rato yo era un niño desconsolado, con los ojos inundados de lágrimas y las narices inundadas de mocos. Hasta la persona más insensible del planeta (mi madre) se hubiera apiadado de mí, pero a ella sólo le salió la siguiente frase:

—Bueno, hijo mío, ya está, a pesar de todo

siempre tendrás una familia que te ayudará en todos tus fracasos.

—Angelico mío. —Mi abuelo me cogió en brazos y yo lloré más fuerte todavía porque como verás era una escena bastante trágica.

Viendo mi madre la repercusión de sus terribles palabras tuvo que confesar que si no nos íbamos de vacaciones no era por mi suspenso, era porque teníamos que pagar las letras del camión y no nos quedaba dinero. Entonces fue ella la que se puso a llorar y me pidió que nunca se lo dijera a la Luisa porque estaba harta de que la Luisa presumiera de su mansión colonial en Miraflores de las Narices. A mi madre la pone triste que nunca tengamos dinero para las vacaciones, pero no quiere que nadie se entere y a todos los vecinos les mete unas bolas que te pasas: cuando no dice lo de mis notas, dice que mi abuelo se ha puesto peor de la próstata o que el Imbécil está echando un colmillo. Me tiene prohibido hablar con la gente del dinero que todavía debemos del camión. Es una pena, porque hasta que me lo prohibió yo le contaba a todo el mundo el dinero que les quedaba a mis padres para el mes.

Lo sabía porque mis padres por las noches hacen

muchas cuentas, y yo todo lo grabo en mi cerebro. Ahora ya me he quedado sin poder hablar de ese gran tema: el dinero. Y eso que la Luisa me pregunta; pues nada. Me encantaba hablar del dinero. A lo mejor es que de mayor voy a ser un gran banquero, o a lo mejor es que voy a ser un poco pobre, como mis padres.

Decía que mi madre se puso a llorar. Y a mi abuelo y al Imbécil se les contagiaron también las lágrimas. Ellos se apuntan a un bombardeo.

Terminamos abrazados, limpiándonos los unos a los otros con el mismo clínex (para ahorrar) y acordándonos de mi padre, que en esos momentos estaría haciendo portes para pagar los plazos del ya famoso camión *Manolito.* Nuestra deuda se acaba a mediados del siglo que viene, así que mis padres me dejarán la deuda en su testamento y es muy posible que yo les deje a mis hijos en herencia la misma deuda. Las herencias de los García Moreno no son como las de las películas. Son herencias que te arruinan la vida.

La verdad es que me consoló bastante no ser el principal culpable de las desgracias de mi familia, y mi madre se cortó un pelo a la hora de dejarme en ridículo delante de los demás (para dejarme en ridículo me sirvo yo solo). Es de agradecer que una

madre recapacite y no le vaya contando al primero que se encuentra que te han quedado las Matemáticas. La verdad es que tampoco tenía muchas oportunidades de soltarle el rollo a nadie porque, como todos los años, nos fuimos quedando solos a este lado del río Manzanares.

El primero en desaparecer fue mi gran amigo el Orejones (el cerdo traidor, ya sabes).

Como sus padres están separados, se va con su padre en julio a un pueblo que se llama Carcagente, para últimos de mes vuelve a Carabanchel, y el uno de agosto se va con su madre a un pueblo que también se llama Carcagente. ¿Por qué? Porque es el mismo pueblo, porque sus padres son los dos de Carcagente, pero van en distintos meses porque actualmente no se pueden soportar. A los quince días de haberse marchado, el Orejones me mandó una carta que decía:

Querido Manolito: cuando termine el verano me saldrá Carcagente por los orejones. Hay piscina pero ayer llovió.

Adiós,

O. López

Así es mi amigo: cariñoso y expresivo. Quince días se tiró el tío para escribir estas dos frases inolvidables.

A mí me gustaría tener un pueblo, aunque fuera Carcagente, me da igual, un pueblo de esos donde sales de tu casa y te revuelcas por los campos hasta el amanecer y te puedes quedar a dormir en la casa que te apetezca. Ves una casa con la puerta abierta y dices: «Aquí que me apalanco», y en esa casa vive una señora que es bastante buena persona y la señora te saca la cena, te pone la tele, y luego va a hablar con tu madre para decirle:

—Por favor, no le riña por su desaparición, nos ha hecho tan felices a mí y a mi pobre marido que no oye y casi ni ve.

Eso es lo bueno que tiene Carcagente y cualquier otro pueblo de España. Aquí en Madrid, no puedes entrar en una casa y decir: «Que me quedo a cenar porque me ha gustado el portal», porque la señora llama a la policía inmediatamente, porque la señora de Madrid no te da ni esto, porque esa señora no quiere que un niño entre en su piso a no ser que sea hijo del Rey de España o que haya salido haciendo algo en «Lluvia de estrellas».

También la Susana Bragas-Sucias se ha ido. Se

la ha llevado su abuela a una excursión de la Tercera Edad, porque su madre, que es de la Segunda Edad, no la soporta todo un verano seguido. No me extraña: yo, siendo de la Primera Edad como soy, la he soportado todo un curso y estoy pagando unas terribles consecuencias psicológicas. La semana pasada me llegó una postal suya en la que se veía una playa de Alicante. La Susana me había escrito:

¡Hola! En esta playa me perdí ayer y los veinticinco abuelos de la excursión salieron a buscarme. Yo encontré sola el camino de vuelta, pero entonces se habían perdido diez abuelos. Por la tarde aparecieron: rojos y sin comer. Mi abuela dice que nos van a echar, así que a lo mejor te veo pronto.

Susana BB-SS

Paquito Medina se fue a pasar el verano a Vallecas, que tiene una piscina municipal que te cagas, y allí viven sus abuelos que le hacen por las tardes leche merengada. Los abuelos de Paquito Medina tienen una casa que mola cincuenta kilotes de oro: abres la ventana y se ve el estadio del Rayo Vallecano. Paquito Medina te lo cuenta cincuenta veces al día. Yo cuando abro la ventana veo la cárcel de Carabanchel, así que yo me lo callo cincuenta veces al día, porque la gente te mira mejor si vives al lado de un estadio que de una cárcel.

La Luisa nos abandonó como todos los meses de julio y nos llama de vez en cuando desde Villa Luisa para decirnos que ella no pasa nada de calor en la sierra y para preguntar si les hablamos de ella a sus plantas. En el fondo, mi madre es muy buena persona: no sólo le riega las plantas, también le abre de vez en cuando los cajones para ver si todas las cosas de la Luisa siguen en su sitio.

Somos los únicos habitantes de un barrio que parece un planeta abandonado, y eso a mi madre la pone muy nerviosa y estamos saliendo a una media de cinco collejas al día y tres helados. Primero nos pega y luego se arrepiente.

A lo mejor el mes que viene nos vamos a Mota del Cuervo con mi abuelo, que tiene una casa con un corral para hacer caca y unas bombillas en el techo. Iremos mi abuelo, yo y el Imbécil para que mi madre descanse de nosotros y se vaya con el camión y con mi padre a un hotel de Benicasim en el que te hacen el desayuno y la cama.

Hoy he recibido una postal de Yihad desde Miranda de Ebro, que es un pueblo que tiene muchas postales, y dice:

Ola, Gafotas: No me acuerdo ni un día de ti. Como aquí no tengo amigos, me pego con mi hermana, que lleva aparato en los dientes. ¿No te aburres de pasar todo el verano en Carabanchel?

Recibe una patada cariñosa de tu amigo,

Yihad

Ya le he escrito la contestación. El año pasado no le contesté y lo pagué muy caro. Esto es lo que le he puesto:

Hola, Yihad. Pues sí, me aburro bastante, pero tengo una alegría muy grande, que tú no estás. Me gustaría decirle al alcalde de Miranda que sería fantástico que se quedaran contigo para siempre. Sé que es un sueño imposible. No te molestes pero me duele que escribas Hola sin H. Te lo digo por carta porque en persona me romperías las gafas. Si me echas de menos tírale a tu hermana el aparato de los dientes al suelo, así te sentirás como en el Parque del Ahorcado cuando me tiras las gafas. Mi madre se preguntaba por qué llevaba días sin romperme los cristales. La dije que estabas de vacaciones y se lo explicó todo. No vuelvas,

Gafotas

Como verás, por carta soy un tío valiente como pocos, luego al natural cambia la cosa.

El verano en Carabanchel (Alto) es como en todas partes del mundo: hay piscina, hay helados, hay horas de siesta y hay horas de fresca. Mi abuelo, yo y el Imbécil nos bajamos por la tarde al Parque del Ahorcado, nos compramos un supercucurucho y allí nos repantigamos hasta que se hace de noche y mi abuelo dice:

—Tu madre no quiere darse cuenta pero hay momentos en los que vivimos como millonarios.

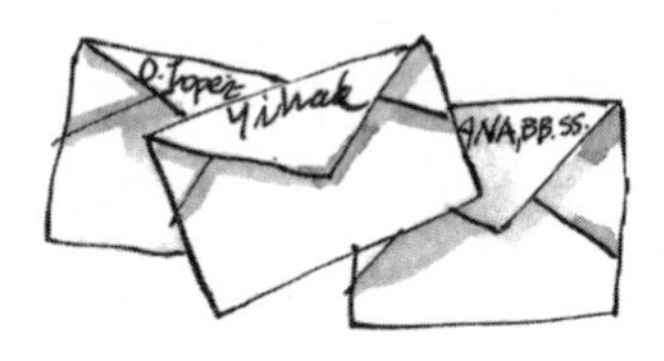

LA LUISA TIENE MUCHO MORRO

La Luisa se vino de su chalé de Miraflores de la Sierra sólo para darnos una Comida de Reconciliación. La Comida de Reconciliación fue en el restaurante chino que han puesto debajo de mi casa. Se llama «Ching-Chong». Le pusieron así porque la cocinera es de Chinchón y como el camarero es de China le añadieron las dos G del final y el guión en el medio. La Luisa no hace más que decirle al camarero chino que se case con la cocinera de Chinchón porque dice la Luisa que no es normal que un hombre y una mujer sean socios sin estar casados. Mi abuelo, cuando la Luisa se pone a decir estas cosas, le suelta:

—Tú sí que no eres normal, Luisa.

En realidad, lo que le carcome la curiosidad a la Luisa es ver cómo sería un niño mitad chino, mitad de Chinchón. Lo digo porque un domingo a la hora del vermú nos lo confesó (iba por el tercer vermú).

La Comida de Reconciliación fue un éxito porque las que tenían que reconciliarse eran la Luisa y mi madre, y cuando llegamos a los postres ya estaban brindando la una por la otra cada tres minutos. No es por criticar, que a mí no me gusta, pero se bebieron tres botellas de vino, ayudadas por mi padre, el abuelo y Bernabé, claro, que siempre ayudan todo lo que pueden. Así que todo les hacía gracia y para mí que se reían demasiado alto.

Los de la mesa de al lado estaban hasta las narices, y yo me estaba sintiendo supercortado. Tres veces la dije a mi madre que por favor que se rieran más bajo y que dejaran de dar golpes en la mesa cada vez que soltaban una carcajada, y a la tercera mi madre va y dice:

—Ay, hijo mío, déjame vivir en paz, déjame que me ría como me dé la gana —y luego le dijo a la Luisa—: Mira, me tiene frita últimamente, no hace más que llamarme la atención, que si no te pongas esto, que si no hagas lo otro, qué control, parece mi madre...

Así me pagan la preocupación que tengo por ellos. Yo creo que es de ser un buen hijo no querer que tus padres hagan el ridículo; mi madre dice que eso más que de ser un buen hijo es de ser un aguafiestas. Son dos formas de verlo. Allá ellos.

Me puse a mirar a un Buda Feliz que tenían en el fondo de una pecera. Pobrecillo, tan gordo y tan desnudo sin más compañía que los peces. Es imposible que uno pueda ser un Buda Feliz en esas condiciones. Pensé que la próxima vez que viniéramos a comer al Ching-Chong le traería un muñeco que me regaló mi padre de un llavero de Michelín para sentarlo a su lado. El Buda y Michelín, dos gordos submarinos... El Imbécil me dio una torta en la espalda y me sacó de mis pensamientos: se había puesto los palillos chinos en los agujeros de la nariz.

—El nene como Fétido.

Es que su personaje favorito es Fétido, el de la

familia Addams, y le gusta imitarle las gracias. Este año pasado se pidió un Fétido para su cumpleaños. Pasamos bastante vergüenza yendo de juguetería en juguetería y pidiendo un Fétido de peluche. Al final, hartos de patearnos las tiendas de España, mi madre le compró un Aladdin. Yo le decía:

—Eso a él no le va a gustar, ya verás.

—Por qué no le va a gustar, a los niños les gustan todos los muñecos —me dijo ella con rabia.

Yo se lo advertí. Cuando él abrió el paquete con la ilusión de tener a su Fétido y vio el Aladdin las lágrimas inundaron sus ojos, se puso él mismo su chupete, subió al Aladdin encima del mueble-bar y ahí se ha quedado. Al Imbécil no le dan gato por liebre.

Pero volvamos a la ya famosa Comida de Reconciliación: entre mi madre y la Luisa brindando y riéndose como cosacas, mi padre y Bernabé que estaban empezando a cantar, mi abuelo que no paraba de preguntarle secretos de la comida oriental a una camarera china, y el Imbécil con los palos en la nariz (de vez en cuando se sacaba un palo con un regalito verde, y se lo volvía a meter. Para él toda materia es reciclable), entre todos ellos, yo me sentía como el único miembro normal de la familia Addams, a la que a partir de ahora podemos llamar Familia García Moreno. Qué película más fuerte harían con nosotros. En Hollywood no se han enterado del chollo que tendrían en Carabanchel (Alto).

A estas alturas de este emocionante capítulo toda España se estará preguntando por qué se habían enfadado esas dos grandes amigas llamadas Luisa y Cata (mi madre).

Comenzaré esta tremenda historia como acostumbro, desde el principio de los tiempos:

Resulta que la Luisa se retiró, como todos los veranos, a su residencia de Miraflores de la Sierra, que es una residencia que llama la atención. Dice la Luisa que los turistas se paran a verla, sobre todo por las noches, cuando están todos los enanos del jardín encendidos. Es que en vez de farolas ha puesto a los enanitos con sus farolillos por el césped, y las vallas están hechas de ruedas de molino pintadas de verde y la casa la hicieron con forma de castillo pequeño. Uno de los torreones es la chimenea. La gente de Miraflores la llama «La casa de la Bruja». Se han debido de equivocar de personaje porque la Luisa hizo su casa pensando en Blancanieves y no en la bruja. Además, la que vivía con los enanos era Blancanieves, está superclaro. Pero la gente no pone atención, así que por más que la Luisa se mosquee, su casa es conocida por todo Miraflores como «La casa de la Bruja».

Allí se van la Luisa y Bernabé cuando hace calor, a su residencia veraniega, como hacen los famosos. La tarde antes de marcharse subió a mi casa y le preguntó a mi madre si le podía hacer el favor de regarla las plantas, y mi madre la dijo que para eso están las vecinas. Y luego la Luisa volvió a subir y le dijo a mi madre:

—Mujer, ya que me cuidas las plantas, por qué no me bajas y me subes las persianas tres veces al día.

Es que la Luisa había visto en el telediario todos los consejos que hay que seguir para disuadir a los ladrones de pisos en verano. Y mi madre dijo que ella se lo hacía, como vecina y como amiga. Y la Luisa subió la tercera vez para añadir:

—A la que bajas por la noche a subirme las persianas, también me podías dar la luz y me la apagas a la hora, que es otro de los consejos de la Dirección General Policiaca; así se creerán esos malditos ladrones que cenamos en casa.

Y mi madre dijo que bueno, que sí.

—Y me recoges el correo, que cuando ven el buzón lleno saben que la gente está de vacaciones. No me dirás que eso te cuesta mucho trabajo...

Y mi madre dijo que por supuestísimo. Pero nada más irse la Luisa mi madre dijo otra cosa bien distinta, dijo:

—Qué morro más grande que tiene la Luisa. Se aprovecha porque no hay otra como yo, que me quedo sin veraneo y encima a cuidar la casa de las vecinas. Luego nadie te lo agradece, y ésta menos que ninguna, no te creas que se le ha ocurrido decirme: «Me llevo a tu Manolito unos días a que se bañe en la piscina de Miraflores...»

Estas cosas estaba pensando mi madre, gritándolas en voz alta (es que mi madre piensa a voces), cuando llamaron por cuarta vez a la puerta. ¿Quién era? Has acertado: la misma Luisa de siempre, la del mismo morro de antes. ¿Qué quería? Aquí lo tienes:

—Mira, Cata, que he pensando en Manolito, en el pobre, todo el verano aquí, sin un divertimento que llevarse a la boca, sin un mal amigo...

Según decía esto ya estaba mi madre con un pie en el armario para prepararme la mochila. Pero se paró en seco, porque la Luisa terminó diciendo:

—Y he pensado que le voy a dejar el canario y la pecera para que el chiquillo se entretenga.

Mi madre se quedó con la boca un poco abierta; para mí que buscaba palabras pero no terminaba de encontrarlas. Al cabo de diez minutos ya teníamos la jaula y la pecera encima del mueble-bar. A la *Boni* no nos la dejó porque, desde que está al tanto de que el Imbécil le presta a la *Boni* el chupete, tiene mucho miedo de que mi hermano le pegue alguna enfermedad. Lo entiendo.

Mi madre estuvo hablando sola en la cocina mientras preparaba la cena lo menos media hora. Hablaba de su vida tan triste, del verano que se iba a tirar vigilando la casa de la Luisa, con mi padre por esas carreteras de España, teniendo que cuidar de mi abuelo, de mí, que dice que le pongo la cabeza modorra de lo que hablo, del Imbécil, que sigue sin controlar sus propios esfínteres, y de unos peces y un canario extraños. Todo eso nos dolió, claro, porque no somos de piedra. Mi abuelo entró a la cocina y se empezó a hacer su cena.

—Pero ¿qué haces, papá? —le preguntó mi madre.

—Pues coger para cenar, a mí no me tiene que cuidar nadie, yo no quiero molestar.

Luego entré yo y no abrí la boca en todo el rato. Al no hablar yo, tampoco habla el Imbécil. Ya os he contado alguna vez que soy su líder.

—Bueno, ¿y al niño este qué le pasa, si puede saberse? —dijo mi madre.

—Yo tampoco quiero molestar —le contesté yo, hablando como un pobre niño ofendido.

Pero tuvimos que perdonarla inmediatamente, porque mi madre es una persona tan rara que le gusta que hagas exactamente aquello de lo que se está quejando a gritos. Y como no la perdones inmediatamente, se pone a llorar (es clavadita al Imbécil), así que seguimos los consejos que nos da mi padre el lunes antes de coger el camión:

—Haced lo que ella quiere y seréis felices.

El caso es que a partir del día siguiente empezamos a bajar a casa de la Luisa para seguir todas las instrucciones de la dirección policial. Mi madre descubrió las cintas de vídeo con dibujos animados que la Luisa nos graba para que cada mes las dejemos depilarse a sus anchas, y el Imbécil no sienta la tentación de meter el chupete en la cera y probarla. Mi madre pensó que, de la misma manera, podía ponernos una cinta todas las tardes en el vídeo de la Luisa y subirse ella a echarse una siesta a sus anchas.

—De alguna forma me tengo que cobrar lo que estoy haciendo por ella —dijo mi madre, en uno de sus pensamientos a voces.

Total, que yo y el Imbécil empezamos a bajarnos por las tardes a ver unos dibujos mientras mi abuelo y mi madre roncaban al unísono. Nos quitábamos los zapatos, hacíamos una pelea mortal de quesos y luego nos tumbábamos a ver la película. Como sólo había dos o tres películas, a la semana nos las sabíamos de memoria y yo me podía permitir el lujo de dormirme un rato con la película a la mitad y despertarme cuando llegaba el final. Te recomiendo esa experiencia, sólo necesitas: un sofá, un vídeo y una película que ya te hayas visto cincuenta veces. Una película que te sabes al dedillo te da mucha libertad: puedes levantarte al váter, dormirte o pelearte con tu mejor amigo. Con que veas el principio y el final basta. Los finales siempre son muy emocionantes y hay veces que te hacen llorar aunque la película sea un rollo repollo (en ese caso las lágrimas son de alegría, claro).

Bueno, pues te digo que me dormí, sin tener en cuenta que el Imbécil, al que podemos considerar discípulo del demonio de Tasmania, se quedaba despierto y con total libertad para hacer de las suyas. Es un niño que necesitaría sólo para él un guarda jurado de servicio las veinticuatro horas del día. Mientras yo dormía el Imbécil sacó la cinta y metió a dos de sus muñecos Pin y Pon por la ranura del vídeo. Luego, me despertó a su estilo, con sus inconfundibles tortas en la cara.

—Pero ¿qué pasa, niño? —le dije yo, con el corazón a trescientas cincuenta pulsaciones al segundo.

—El nene quiere ver a los *pin y pones* en la tele.

—Pues el nene se tiene que aguantar porque los *pin y pones* sólo salen en los anuncios de Navidad.

—Sí, salen. El nene los ha puesto —dicho esto, me señaló el vídeo.

—Pero ¿qué has hecho, bestia? —No le llamé bestia por insultarle, se lo llamé porque se lo tenía merecido.

Intenté meter la mano en la ranura pero no me llegaba hasta el fondo. Además, tampoco quería hurgar demasiado. Mi madre nos ha metido el miedo desde pequeños a morir electrocutados.

De repente, esa misma madre de la que os hablo siempre abrió la puerta. Se quedó con la cara a cuadros cuando me vio con la mano dentro del vídeo de la Luisa.

—¿Qué estás haciendo si puede saberse, bestia?

—Como verás, el término «bestia» es bastante común en mi familia. Lo empleamos los unos con los otros siempre que tenemos oportunidad, eso sí, siempre nos cuidamos de usarlo con un ser inferior en el escalafón.

—El nene quiere ver a los *pin y pones* en la tele. —El Imbécil seguía con su idea.

—Es que los ha metido aquí y no los puedo sacar.

—¿Y tú para qué le dejas? —me dijo mi madre.

—Porque no me he dado cuenta, me había quedado dormido.

—¿Pero es que no te das cuenta de que con éste uno no se puede dormir?

Me hubiera gustado decirla: «Pues tú bien que

te echas la siesta», pero no se lo dije porque amo la vida y sé el tipo de comentarios que la pueden poner bastante furiosa.

Mi dulce madre fue a sacarme la mano de un tirón, pero no lo consiguió porque la mano se había quedado dentro. No me preguntes cómo una mano que entra luego no puede salir pero así fue. El terror inundó mi cuerpo y me puse a sudar. Me imaginé toda una vida con la mano dentro del vídeo de la Luisa, a no ser que... ¡me cortaran la mano! Entonces cada vez que bajara a casa de la Luisa vería el vídeo y pensaría: «Ahí está mi pobre mano.» Luego me entró un segundo terror, y es que los terrores nunca vienen solos; me imaginé que podía recibir una descarga eléctrica y con un hilo de voz entrecortada le dije a mi madre:

—Por favor, desenchúfalo.

Mi madre lo desenchufó. Ahí se puede decir que estuvo muy humana. Pero luego lo único que la preocupaba era que se estropeara el vídeo de la Luisa y los gastos de la reparación. Se ve que para ella el tener un hijo manco era algo secundario.

Se fue al váter y trajo las manos llenas de agua y jabón. Empezó a frotarlas contra la mía hasta que la mano por fin empezó a escurrirse y salió. Mi madre secó el vídeo, nos cogió de la mano y dijo:

—Aquí no ha pasado nada. Al que le cuente a la Luisa lo que ha pasado le corto la lengua.

Siempre me queda la duda de si estas cosas las dice totalmente en serio o medio en serio medio en broma.

A los pocos días, la Luisa vino a Madrid porque quería comprobar si estábamos siguiendo sus instrucciones. Cuando por la tarde fue a poner el vídeo y vio que no funcionaba llamó al técnico. El técnico extrajo del interior dos *pin y pones,* y al ver los restos de jabón, le dijo a la Luisa:

—No es necesario que limpie usted el vídeo por dentro, con que le quite el polvo por fuera sobra y basta.

La Luisa subió a mi casa hecha un obelisco. Tiró los *pin y pones* en la mesa y le gritó a mi madre:

—¡Resulta que te dejo la casa para que la cuides de los ladrones y entráis vosotros en ella al asalto!

Yo pensé que mi madre le iba a contestar con otro grito, pero nos sorprendió una vez más. Cogió la pecera, se la puso en las manos a la Luisa, le dio también la jaula de *Pavarotti,* el canario, y una vez que la Luisa estaba haciendo malabarismos con la pecera y la jaula en las manos para que no se le cayeran, le dijo con una tranquilidad que cortaba el aliento:

—Aquí tienes a tus animalitos. He pensando que la próxima vez te puede hacer las instrucciones de la Dirección General Policiaca tu madre.

La Luisa se fue muy indignada pero muy despacito, para que no se le saliera el agua de la pecera. Es que marcharse indignado con una pecera en las manos es bastante difícil.

El terrible enfado de mi madre y la Luisa duró una semana. En esa semana no se dirigieron la palabra. Éramos dos familias enfrentadas, porque aunque mi padrino Bernabé no se enfada nunca, la Luisa le prohíbe hablar con nosotros y lo mismo hace mi madre con mi padre.

Yo le estaba preguntando a mi abuelo si él pensaba que Bernabé cambiaría el testamento a favor de otro niño (ya te he dicho que el Imbécil y yo somos sus únicos herederos en este planeta), y mi abuelo me contestó:

—A no ser que la Luisa le obligue, yo creo que no.

Fue nombrar a la Luisa y sonó el timbre. Era ella, la auténtica Luisa.

—No puedo vivir sin vosotros, sin mis niños, sin mi Cata, sin mi abuelo Nicolás... Sois mi auténtica familia. —Se sacó un pañuelo de la manga y se limpió una lágrima que ninguno de nosotros llegamos a ver. Se ve que se la limpió antes de que saliera del ojo—. No hay nada más tonto que enfadarse por un vídeo. Cata, quiero que aceptes una Comida de Reconciliación la semana que viene.

Mi madre se secó otra de esas lágrimas invisibles y dijo:

—Iremos.

Cuando la Luisa se fue, mi madre cambió su cara de emoción por su cara de inspectora de policía, y pensó en voz alta:

—¿Qué querrá pedirme ésta ahora?

Tuvo la respuesta al instante porque la Luisa volvió a llamar. Para mí que no se había movido de detrás de la puerta. La Luisa, con las llaves de su casa en la mano, dijo:

—Cata, si no te importa...

Mi madre le cogió las llaves sin dar tiempo a que terminara:

—Sube los bichos cuando quieras.

Es mi madre, pero es muy lista.

—Los niños —dijo la Luisa— pueden ver el vídeo cuando quieran.

Mi madre se metió un momento a la cocina y la Luisa se acercó a nosotros y, cogiéndonos del brazo, nos soltó en una voz baja terrorífica:

—Al que meta otros Pin y Pon en el vídeo le cruzo la cara.

Cuando mi madre apareció, la Luisa le explicó lo que nos estaba recomendando:

—Que les decía que me lo traten con mucho cuidado.

Como ves, hay muchas maneras de decir la misma cosa.

A la semana siguiente, la Luisa y Bernabé volvieron de Miraflores para la Gran Comida de Reconciliación en el Ching-Chong y, como te decía antes, mi madre y la Luisa volvían a ser íntimas, los demás cantaban y el Imbécil hacía sus imitaciones de Fétido. O sea, un exitazo.

La Luisa y mi padrino se volvieron a la sierra y nosotros volvimos a quedarnos cuidándoles la casa de posibles malhechores. El Imbécil y yo hemos vuelto otra vez a la hora de la siesta a su casa. Sabemos que si le estropeamos otra vez el vídeo nos cruzará la cara, de eso estamos seguros, pero nos da igual, y no porque seamos muy valientes, que no lo somos, sino porque aunque mi madre crea que bajamos para ponernos los dibujos, nosotros ya no nos ponemos el vídeo. Hemos encontrado un tesoro más valioso: la habitación de la Luisa. Dentro de su armario lleno de espejos, la Luisa tiene guardados los peluquines de Bernabé, los tiene puestos en cabezas de maniquís y el Imbécil y yo pasamos mucho tiempo peinándolos y probándonoslos.

También hemos descubierto el joyero de la Luisa y jugamos a piratas y hacemos como que encontramos el cofre en una cueva y luego nos ponemos todos sus collares y sacamos los dos abrigos de pieles de la Luisa y nos los ponemos porque somos piratas del mar del Norte. El primer día que le puse al Imbécil el abrigo de piel de conejo de la Luisa, el Imbécil se me cayó de la cama del peso que tenía el dichoso abrigo.

Qué susto me pegué, se quedó en el suelo, quieto, tapado completamente por el abrigo. Le gusta gastarme ese tipo de bromas, ya te he dicho que es un niño bastante tétrico.

Cuando nos cansamos de jugar a piratas nos acostamos en la cama de la Luisa y Bernabé, y así, con los peluquines puestos, las joyas y los abrigos, nos echamos la siesta por todo el morro. Como yo sé que cuando el Imbécil se duerme siempre se mea, sea por la noche o por la tarde, le pongo parte de mi abrigo debajo del culo y me quedo más tranquilo, porque, digo yo, que de aquí al invierno, al momento en el que la Luisa vaya a coger sus pieles, la supermeada del Imbécil ya estará seca.

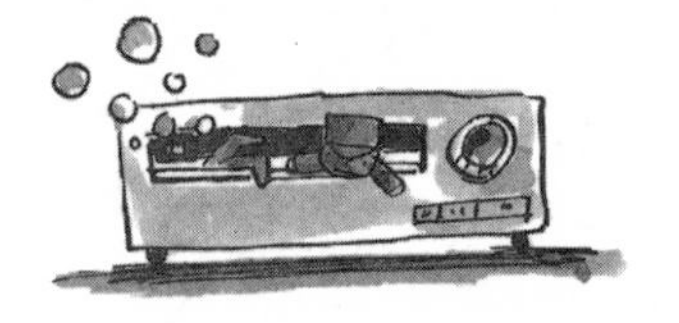

A VIDA O MUERTE

Cuando ayer por la mañana me miraba en el espejo de mi madre con el bañador nuevo, pensaba:

—Cómo molo.

Yo reconozco que es una frase un poco rara para decirla en voz alta, a no ser que seas un chulito como Yihad, pero estoy seguro de que pensarla la piensa mucha gente. La piensa el socorrista de la piscina de mi barrio, descarao: de vez en cuando, veo que se mira su superbíceps, y me corto un brazo si ese tío no está pensando: «Cómo molo.» La piensa Bernabé cuando se peina con agua su peluquín de los domingos por la mañana y antes de salir a la calle se vuelve un momento para mirarse en el espejo del portal. Yo le veo sonreír y pensar: «Cómo molo.» La piensa mi abuelo cuando se pone el chándal de las Tortugas Ninja y se baja a comprar el pan y la panadera le dice:

—Hay que ver lo bien que le pinta a usted ese chándal de las Tortugas Ninja. Le hace cincuenta años más joven.

Que me cuelguen del Árbol del Ahorcado si mi abuelo no piensa en esos precisos instantes:

—Cómo molo.

Lo piensa la Susana cuando pasa delante del banco del Parque del Ahorcado donde estamos sentados Yihad, yo y el Orejones, y dejamos por un momento de insultarnos y de aburrirnos para mirarla cómo se va sin decirnos ni ahí os quedáis. Seguro que en el interior de su mente enigmática hay una frase con dos palabras que dice:

—Cómo molo.

Así que no es de extrañar que cuando yo me vi con aquel bañador de palmeras salvajes, hinchara el pecho, me diera dos o tres puñetazos mortales en las costillas y después de toser un rato (es que me di un poco fuerte) pensara lo mismo que pensaban las personas que acabo de nombrar. Yo también soy humano.

Lancé delante del espejo un grito que hubiera dejado sorda a la mismísima mona de Tarzán, al tiempo que pensaba para mis adentros y con todas mis fuerzas:

—¡Cómo moooooooloooooooo!

Nos íbamos a la piscina pero eso no era lo mejor: lo mejor era que nos íbamos a la piscina sin mi madre. Yo a mi madre la quiero hasta la muerte mortal pero en la piscina tenemos nuestras pequeñas diferencias: a ella no la gusta que hagamos gárgaras espectaculares, pedorretas acuáticas, que la salpiquemos, que nos tiremos a estilo bomba o que nos hagamos los pobres niños ahogados cuando pasa por nuestro lado. No entiende ese tipo de bromitas.

A mí no me gusta que me embadurne cada cinco minutos de crema, que me haga guardar dos horas de digestión y que me haga vestirme con ella en los vestuarios de chicas para tenerme controlado. Compréndelo, es un cortazo, te ves en unas situaciones prohibidas para menores de dieciocho años. Las chicas se desnudan delante de ti y encima luego se molestan si las miras a esas zonas del cuerpo humano donde sin querer se te van los ojos. A mí me dijo una el año pasado:

—Eh, chaval, mira para otro lado que te estás quedando pasmao.

Yo es que no entiendo ese tipo de reacciones, te lo juro.

Menos mal que esta vez nos llevaba mi abuelo, que aunque ha afirmado en varias ocasiones que le gustaría pasar también al vestuario de señoras, se tiene que conformar con el de caballeros.

En la puerta de la piscina habíamos quedado en que nos encontraríamos con el Orejones. Iba a ser un día total de la muerte. Iba a ser un día para recordarlo el resto de mi vida, fijo que sí.

La verdad es que nos costó mucho arrancar, porque mi madre se empeñó en vaciarnos el contenido de la nevera en la mochila. Iba ya por el décimo yogur cuando mi abuelo se interpuso entre la mochila y ella, y gritó:

—¡Catalina, por Dios, que no nos vamos a escalar el Aconcagua!

Mi madre, que jamás se da por vencida, pasó a la acción con otro tipo de cosas: nos metió la crema de protección 18 para el Imbécil, y las palas y los cubitos y el flotador, y dos bañadores de repuesto y dos albornoces, y unas tiritas y mercromina por si pisábamos unos cristales de una litrona que acabaran de romper unos macarras. Ella siempre se pone en lo más trágico. Así estoy yo, completamente enfermo de los nervios. Muchas veces me da por pensar en qué programa de sucesos de la tele me gustaría salir si me ocurriera una desgracia terrible. Mi señorita dice que tengo el cerebro destrozado de imaginar barbaridades terribles que salen por la televisión. Se equivoca. A mí me basta con las barbaridades terribles que se le ocurren a mi madre. De verdad, deberían contratarla en Hollywood para escribir la décima parte de *Viernes 13*.

Nos dio veinticinco besos en persona y nos tiró otros veinticinco por la ventana. Ya creíamos que nos habíamos librado de ella, cuando surgió como loca de una esquina. Qué susto nos dio la tía. Sólo quería recordarnos lo de la crema del Imbécil, y que le mojáramos la cabeza, y que le pusiéramos la gorra y que, por favor, no nos ahogáramos, que era muy desagradable. Por una vez, estábamos de acuerdo.

Nuestro día espectacular lo empezamos regular. Mi abuelo se mosqueó con el cuidador de la piscina porque el señor cuidador decía que mi abuelo tenía que ponerse en bañador y mi abuelo decía que antes muerto que hacer el ridículo. Aunque no te lo creas, mi abuelo no se ha puesto en bañador en su vida y tiene la barriga como si se la hubiesen lavado con Ariel-Nueva Fórmula. El señor cuidador estaba empeñado en que mi abuelo se desnudase y mi abuelo le dijo al señor cuidador:

—No lo puedo entender. ¿Qué interés tiene usted en ver desnudo a un viejo? Que se lo diga mi nieto: no merece la pena.

Yo se lo dije al señor cuidador y era verdad: mi abuelo desnudo no es nada espectacular.

Al final llegaron a un acuerdo: mi abuelo aceptó cambiarse la boina por la gorra de los Picapiedra que habíamos traído para el Imbécil. El cuidador dijo:

—Bueno, esto ya es otra cosa, ya está usted más presentable.

Los cuidadores de piscina tienen unos gustos muy extraños.

Por fin nos dejaron pasar.

Mi abuelo se sentó en un banco de la piscina, se quitó la dentadura (para que luego digan que no se desnuda) y a los cinco minutos se quedó sopa con la boca abierta mirando al sol. Así es mi abuelo: como los girasoles. El Orejones y yo le pusimos unas gafas rosas de plástico auténtico del Imbécil para que no le diera el sol en los ojos, y nos fuimos oyendo sus aterradores ronquidos a nuestras espaldas.

Al Imbécil lo dejamos en la piscina de pequeños con todas sus palas y sus cincuenta cubos, y nosotros nos fuimos a hacernos unas ahogadillas mortales a la honda.

Estuvimos a punto de ahogarnos de la risa en bastantes ocasiones. Tirábamos mis gafas al fondo y buceábamos para rescatarlas. En fin, esas cosas tronchantes que a mi madre no le hacen ninguna gracia. Nos intentamos tirar de cabeza, pero de momento sólo conseguimos aterrizar con la barriga. Es bastante doloroso pero hay cosas peores en la vida: ir al colegio, por ejemplo. Además, en mi barrio casi todos los niños se tiran en plancha, y ninguno se queja en voz alta. Sólo de vez en cuando nos echamos la mano a la tripa con un gesto terrible de dolor. Somos gente dura.

El Orejones se tiró tan fuerte que le empezó a salir sangre por la nariz. Al Orejones le sale sangre por la nariz todos los días, si no es por una cosa es por otra. La *sita* Espe dice que es psicológico, pero vamos, yo puedo afirmar que en esta ocasión no fue psicológico, fue porque el Orejones se pegó un planchazo que casi saca toda el agua de la piscina el tío.

Le salía tanta que los dos pensamos que lo mejor que podía hacer era quedarse metido en la piscina y limpiarse con el agua, que como tiene cloro, posee poderes cicatrizantes.

Al momento ya estaban allí dos señoras que traían al socorrista y todo para que nos echara. Una de ellas estaba tan indignada que le quitó el pito y todo al socorrista para amenazarnos a pitadas. Qué numerazo. Decían las señoras que las daba asco y que dónde estaban nuestras madres para enseñarnos educación. Las señoras a veces no tienen humanidad. Sólo les conmueve la sangre de las películas, la sangre de verdad las da asco. Una de ellas le metió un algodón en la nariz al Orejones, que casi le asomaba por el ojo de lo dentro que se lo había metido. Encima les tuve que dar las gracias. Se las di yo, claro. El Orejones no tiene modales, lo que tiene es mucho morro.

Cuando se cortó la hemorragia volvimos al lugar del crimen, a la piscina, y pasamos un buen rato haciendo una alucinante pelea de cocodrilos; una pelea muy realista, valía morder y todo. Con este tipo de juegos nos mosqueamos enseguida. Es muy difícil controlarse a la hora de pegarle un mordisco al enemigo, así que nos sentamos en la escalerilla. El Orejones miró su fantástico reloj submarino: llevábamos media hora luchando en el agua y una hora desde que dejamos a mi abuelo sopinstant.

Ya teníamos los dedos como los garbanzos en remojo. Pensamos que había llegado ese momento crucial en que un abuelo te da dinero para un helado.

Cuando íbamos hacia el banco de mi abuelo vimos a un grupo de señoras (incluidas las dos de antes) que rodeaban a un niño tumbado boca arriba con veinticinco palas en la mano. El niño estaba rojo como esos cangrejos que le gusta tanto chupar a mi madre. El niño rojo era mi hermano. Yo me puse a llorar inmediatamente. Lloraba por ver a mi hermano tan rojo y porque las señoras le estaban echando la bronca a mi abuelo porque decían que era un abuelo sin conocimiento ni decencia. El socorrista de los superbíceps cogió en brazos a mi hermano para montarlo en un taxi y que lo lleváramos al hospital. Mi abuelo y yo llorábamos andando detrás del socorrista. Parecía un entierro. Me salían tantas lágrimas que no veía nada detrás de las gafas. Las señoras decían que seguro que el Imbécil tenía un cuadro de insolación en primer grado. Eso debía de ser terrible.

Cuando llegamos al hospital llamé a mi madre para tranquilizarla y la dije:

—No te preocupes: es un caso a vida o muerte. Ven sin pérdida de tiempo.

Oí un grito desgarrador y luego no oí nada más. A mi abuelo se le juntó la próstata con los nervios y se tuvo que ir al váter. La señorita enfermera me preguntó que qué era yo del Imbécil y yo le dije que su hermano. La señorita enfermera me preguntó el nombre del Imbécil, y me puse a llorar

otra vez y le dije que no me acordaba. Entonces llegó mi abuelo y dijo una frase histórica:

—El niño se llama Nicolás García Moreno.

Así que mi hermano se llama Nicolás, como mi abuelo. Qué bonito. En un futuro tendría que acostumbrarme a llamarle por su nombre.

Al rato llegó mi madre. No parecía mi madre: estaba blanca como Morticia, la de la familia Addams. La había traído la Luisa con el pañuelo blanco fuera de la ventanilla. Mi madre no nos miró ni a mi abuelo ni a mí. Nos ignoró. Pasó directamente a ver a mi hermano. Cuando salió dijo que el Imbécil se quedaría allí toda la noche. Mi abuelo y yo nos pusimos a llorar. Y encima de que llorábamos nos echaron la bronca entre las dos. A mi abuelo le dijeron que era un abuelo sin conocimiento y a mí que era un hermano bastante malvado, que no le había puesto la protección 18, ni le había puesto la gorra (qué iba a hacer, la llevaba mi abuelo), que no le había cuidado porque no le quería. Eso sí que no era cierto. Lo puedo jurar con la mano en la Biblia y delante del presidente del Gobierno si es necesario.

Ayer por la noche fue la cena más triste de

nuestras vidas. No podíamos dejar de pensar en el Imbécil, con esos calzoncillos blancos tan grandes que le habían puesto en el hospital. Seguro que se meaba a media noche. Mi madre me dijo que así aprendería a querer más a mi hermano. Como estaba tan triste me compró un supercucurucho de postre. Me lo comí, sí, pero se me caían las lágrimas. Me lo comí para consolarme y algo me consoló, la verdad.

Me metí en la cama sin bañarme porque un baño sin el Imbécil y sin nuestro espectacular campeonato de pedos acuáticos no tiene gracia, no es lo mismo.

Al día siguiente, la Luisa y mi madre se fueron a recoger al Imbécil. Mi abuelo y yo estuvimos todo el tiempo esperando en el portal. A la hora vimos aparecer el coche de la Luisa, que se le caló tres veces hasta llegar donde estábamos nosotros.

El Imbécil salió del coche cargado hasta los dientes: seguía con las palas, los cubos y unas pelotas con goma que le habían comprado. Se le había quitado bastante el color rojo y estaba más delgado porque en el hospital le habían contagiado una terrible culitis. El Imbécil no nos guardaba rencor, porque el Imbécil todavía no sabe lo que es el rencor y era chachi que estuviera otra vez con nosotros. Cuando llegó la noche no pudimos hacer el famoso campeonato acuático de pedos en la bañera porque teniendo culitis, ya se sabe, detrás del efecto sonoro viene la realidad completamente cruda.

Esta noche me lo han dejado en mi cama. No me importa que me la mee. Se ha dormido con la mano sujetándose el chupete en la boca. Yo creo que tiene miedo de que algún desaprensivo se lo robe. No es verdad que yo no quiera a mi hermano, sólo que se me olvidó ponerle la protección 18. Tengo mis despistes.

Por cierto, se me ha olvidado otra vez cómo se llama.

EL PLOMO SE HUNDE

Yo soy un niño de principios, créeme, no soy como el chulito de Yihad que pasa por encima del cadáver de cualquiera con tal de conseguir lo que se le ha metido en el tarro. Yo sé que uno no debe reírse si un ser humano viejo se cae al suelo, que uno no debe burlarse de los seres humanos que llevan peluquín, que uno no debe aprovecharse de los seres humanos torpes (en eso no hay problema, porque el más torpe suelo ser yo, si te digo la verdad). En fin, son principios que me cuesta mucho trabajo cumplir a rajatabla porque, sinceramente, cuando un ser humano viejo se cae lo que te sale del alma es partirte de risa. Menos mal que, inmediatamente, cuando eso ocurre, se ponen en marcha mis principios: se cae el abuelo de turno, te muerdes los labios con fuerza sobrehumana y te aseguro que la risa se puede convertir en llanto.

Una vez mis propias gafas presenciaron cómo mi querido abuelo y el querido abuelo de Yihad se caían los dos rodando desde lo alto de mi escalera. Mientras rodaban el uno sobre el otro por los escalones, se les iban escapando partes de su cuerpo: la dentadura de mi abuelo salió por los aires como si se le hubiera escapado un grito de terror y el bastón de don Faustino hizo una curva perfecta, como de jabalina. Entonces, viendo yo que estaba a punto de echar por tierra mis principios porque la risa se me salía de la boca, me di un mordisco en el labio inferior que casi lo pierdo, te lo juro. «Perderé el labio inferior, pero no mis principios», pensé mientras buscaba a cuatro patas la dentadura de mi abuelo.

Un niño de principios, eso es lo que soy. Pero hay principios por los que no paso. ¿Por qué? Porque no me lo permite la madre Naturaleza. Uno de esos principios es el «principio de Arquímedes».

El principio de Arquímedes me lo leyó la Luisa un día antes de que empezara mi cursillo de Natación. La Luisa le había dicho a mi madre que el deporte era muy bueno para que yo no me convirtiera en un macarra sin oficio ni beneficio. La Luisa siguió diciendo que los macarras de piscina eran aquellos que se metían al agua y no sabían más que hacer eructos acuáticos y gárgaras submarinas. Yo pensé:

«Entonces ya sé lo que soy: un macarra de piscina.»

Porque el Orejones y yo, que no sabemos nadar, nos pasamos el tiempo en el agua haciendo guarrerías que no te cuento para que no te siente mal la comida.

La Luisa dijo que actualmente todas las personas importantes eran expertas en algún deporte: el golf, el esquí, la vela, la hípica... Pero en Carabanchel no tenemos mar, ni tenemos nieve, ni tenemos hipódromo. Así que el golf lo hemos sustituido por la petanca, que es una variante del golf pero sin hierba, sin palos, sin césped y sin agujeros. (Mi abuelo fue subcampeón en el Campeonato del Árbol del Ahorcado, esto sólo lo digo por presumir.)

El esquí lo hemos sustituido por unos cartones con los que nos deslizamos suavemente por el Barranco, que es una pista de tierra que hay detrás de mi casa. Cuando estás llegando al fondo del Barranco es mejor cerrar los ojos: el final de la carrera consiste en estamparse contra unas lavadoras que unas personas dejaron ahí tiradas en su día. Las lavadoras no funcionan, te aviso. Si funcionaran, ya nos las habríamos llevado nosotros, listo.

En cuanto a la hípica, ya que no tenemos caballos nos conformamos con el burro de Yihad, que hace su papel mucho mejor que un burro real. Él sólo tiene dos patas pero se las arregla para que parezcan cuatro. A la hora de repartir patadas no hay quien le gane.

El caso es que mi madre y la Luisa se pusieron de acuerdo para apuntarme a los cursillos de estilo de la piscina de mi barrio. La Luisa dijo que el tener un cuerpo sano me ayudaría a tener una mente más sana y no esa mente tan sucia que dice toda España que tengo.

Yo le intenté decir a mi madre que tenía por principio no meterme en una piscina donde no hiciera pie a no ser que sea por el lado de la escalerilla y acompañado del Orejones, que es tan manta como yo. Y no es que sea enemigo del agua. El agua me gusta: en un vaso, en un lavabo, en la bañera; pero ¿qué necesidad hay de meterse en un sitio donde el agua te pone a prueba en su tremenda inmensidad? ¿No pensaban esas dos mujeres que me estaban enviando a una muerte segura? No exageraba, amigos. Yo conozco muy bien a los monitores de la piscina de mi barrio: disfrutan contando las últimas burbujas de los pobres niños indefensos que agonizan en el fondo.

Pero la Luisa no estaba dispuesta a no salirse con la suya y subió la enciclopedia que se compró para concursar desde casa en «El tiempo es oro» y otros concursos culturales, y nos leyó con mucho retintín el célebre principio de Arquímedes:

«Todo cuerpo sumergido en un fluido experimenta un empuje hacia arriba igual al peso del volumen del líquido desalojado.»

Nos quedamos todos en silencio. Por un lado estábamos impresionados; por otro, no habíamos entendido nada. La Luisa, mirándonos como si fuéramos unos ignorantes, nos lo explicó:

—Manolito, tú flotarás como cualquier otro cuerpo, lo dijo Arquímedes en su momento y yo lo mantengo.

—¡Y aunque no flote! —dijo mi madre—. Este niño a todo le tiene que poner pegas.

Así son las madres, capaces de arriesgar la vida de un hijo por no quedar mal con una vecina.

—La falta que le hará al chiquillo tener estilo nadando —lo dijo mi abuelo. Pero ellas ni le miraron. Mi abuelo en mi casa tiene voz pero no tiene voto. Otro cero a la izquierda, como yo.

Nadie pudo detener ese destino inevitable.

A los pocos días me encontraba al borde de una piscina olímpica, improvisando una oración para que a Arquímedes no le fallara su famoso principio y siguiendo la clase teórica sobre el movimiento de brazos que nos daba el supersocorrista. Yo le miraba el brazo, luego miraba el mío y pensaba que este mundo está muy mal repartido. Hasta hace poco me creía la historia del patito feo al que todo el mundo desprecia y que un buen día se convierte en un cisne espectacular. Pero el otro día me di cuenta de que los finales, en la vida real, no son tan alucinantes como los de los cuentos: vi las fotos de mi padre cuando era pequeño y era igual que yo, tan bajo y tan poco musculoso como yo, así que yo seré igual que él en un futuro. Los García Moreno nos reservamos toda la molla del bíceps para la zona de la tripa. Es nuestra constitución y punto.

La Luisa y mi madre no quisieron faltar a aquel día histórico en que yo me iba a convertir en un niño con estilo. Estaban también al borde de la piscina y aplaudían muy orgullosas mis movimientos. Yo movía los brazos imaginándome que cruzaba el Atlántico Norte a braza. Me estaba emocionando. Aquello de nadar con estilo empezaba a gustarme. Pero entonces, Supermusculitos gritó:

—¡Y ahora lo mismo, pero en el agua!

Todos los chicos se tiraron sin dudarlo dos veces. Yo lo dudé dos y tres y cuatro veces. Yo no me tiré. Sólo de pensar que debajo de mí había tres metros de agua me daba un síncope. Mi madre y la

Luisa me miraban con ojos de ansiedad. La mirada de la Luisa me decía:

«Piensa en Arquímedes.»

La mirada de mi madre me decía:

«Hijo mío, ¿por qué te tienes que distinguir siempre del resto de la humanidad?»

Entonces Supermúsculo miró muy para abajo, muy para abajo (es que me estaba mirando a mí) y dijo extrañado:

—García Moreno, ¿a qué esperas?

García Moreno, o sea yo, se tiró por la presión mental a la que le estaban sometiendo. Y García Moreno notó su propio cuerpo que caía —¡cataplof!— al fluido y que, por más que se empeñara Arquímedes, el cuerpo de García Moreno no salía a flote sino que bajaba y bajaba y bajaba.

García Moreno sólo recuerda que lloró cuando por fin pudo respirar al borde de la piscina. Su madre, bueno, mi madre me abrazaba. Tenía todo el vestido mojado. Era ella la que se había tirado a salvarme de aquella muerte tan pública, a ojos de muchas personas. Y eso que mi madre también es de las que no se separan de la escalerilla, pero tiene madera de héroe.

El socorrista dijo que había sido contraproducente que mi madre y la Luisa estuvieran en la primera clase y que no debían tenerme tan mimadito y que nunca me haría un hombre. Deseé con todas mis fuerzas que algún día a aquella bestia humana le fallara también el famoso principio. Aquel superbíceps no tenía sentimientos, eso es lo que le soltó la Luisa en su propia cara:

—Recemos para que el chiquillo no se haga nunca un hombre como usted.

La Luisa se había puesto de mi parte. Y lo sentía por el monitor, porque por muy fuerte que sea un monitor, una pelea con la Luisa desemboca en una muerte segura. En la muerte del monitor, se entiende.

Con un hilo de voz yo pedí mis gafas. Si en unos momentos tan difíciles como ésos, en los que casi acabas de perder la vida, eres miope y encima te encuentras sin gafas, el mundo mundial se hace insoportable. Cuando te has encontrado a un paso de la muerte como yo me encontré, recapacitas mucho sobre tu última voluntad: quiero que quede bien claro que muera en las terribles circunstancias que muera quiero que me pongan mis gafas.

No quiero ni pensar que me pueda encontrar

en el otro mundo habiéndome dejado las gafas en la vida terrenal. No se conoce ningún caso en que un muerto haya vuelto a su casa porque se le habían olvidado las gafas. No soy el único de mi familia que tiene ese tipo de manías: mi abuelo, por ejemplo, nos repite una y otra vez que no se nos ocurra enterrarle sin su flamante dentadura.

Cuando llegué a casa, la Luisa y mi madre me tranquilizaron, me cuidaron mucho. No parecía importarles que nunca me hiciera un hombre y no parecía importarles que fuera toda mi vida un niño sin estilo al nadar. Seguiría con mi estilo de siempre: el estilo perro al lado de la escalerilla. Dijeron que nunca habían visto a un cuerpo hundirse en un fluido con tanta pesadez.

Por la tarde Yihad le tuvo que buscar la clásica explicación asquerosa a lo que me había pasado. Dijo que yo me hundía en el agua porque era un plomo. Ja, ja. Qué gracioso.

Según mi padre, el principio de Arquímedes no funciona en la piel de los García Moreno. García Moreno que se tira al agua, García Moreno que desaparece. Lo cierto es que se ha corrido la voz de este extraño suceso y, en estos momentos, científicos de todo el mundo se dirigen a Carabanchel (Alto) para conocer en persona a ese niño singular que tiró por tierra un principio tan antiguo. Ese niño singular, que no te enteras, es Manolito Gafotas: yo.

«QUE ME QUITEN LO BAILAO»

Si a mi abuelo le hicieran una operación bestial de cirugía estética que le dejara la cara estirada y suave como el culito del Imbécil, yo lo seguiría reconociendo entre una fila de miles de habitantes de este planeta, porque por mucho que quisiera esconderse, hay una prueba crucial que le delataría en el último momento, mucho más que una cicatriz o que una verruga secretas (que las tiene):

Tú pones una cinta de casete de pasodobles variados, te colocas delante de la fila multitudinaria y esperas con emoción los resultados. Siempre habrá un tío que se saldrá de la formación bailando, con una sonrisilla delatora en los labios y con las manos como si estuviera cogiendo a una chica invisible y superpotente. Ese tío será, sin lugar a dudas, Nicolás Moreno: mi abuelo. Él lo sabe y lo confiesa públicamente:

—Yo oigo un pasodoble y se me van los pies.

Allí donde hay una orquesta, ahí está mi abuelo. Algunos domingos por la mañana se baja a la calle misteriosamente con el Imbécil. No cuenta dónde va. Mi madre, que debe de ser pariente lejana de James Bond, dice:

—Ya va tu abuelo a buscar a los de la cabra.

Los de la cabra son unos que van los días de fiesta al Parque del Ahorcado con un órgano portátil y una cabra a tocar pasodobles. Mi madre y yo nos asomamos a la ventana y vemos a mi abuelo, con el Imbécil en brazos, bailando lo que les echen. Mi madre dice:

—Hay que ver este hombre, que parece tonto.

Y mi padre la riñe:

—Quieres dejarlo vivir en paz, que baile todo lo que quiera.

Una vez mi madre, que no se corta, sacó medio cuerpo por la ventana, que hasta se le quedaban las patas en alto, y empezó a gritar:

—¡Pero, papá, por Dios, que no tienes vergüenza ninguna!

—Tú sí que no tienes vergüenza, Cata, te están oyendo todos los vecinos.

—Pues que me oigan, me da igual: ¡papáaaaaa!

Pero mi abuelo estaba tan emocionado con su pasodoble que no la oía. Solamente el Imbécil se coscaba de que los estábamos mirando desde arriba y a cada vuelta nos saludaba con el chupete en alto. Mi madre volvió a gritar, pero nada. Yo estaba viendo que a cada esfuerzo que hacía chillando, las piernas se la separaban más del suelo, pero como a ella no la gusta que le llames la atención por nada cuando está en plena acción, yo me callé para no meter la pata. Por callarme, estuve a punto de perder a una madre. De repente, pegó un grito estremecedor y mi padre se tiró como loco del sofá y la agarró por los tobillos. Mi madre se sentó en el suelo y se puso a llorar del susto.

—Catalina, otro número como éste y tú te caes por la ventana y yo me muero de un infarto.

Qué panorama; perder los padres al mismo tiempo y ante tus propios ojos. Luego dicen que si tengo pesadillas y que si estoy atacado de los nervios porque veo la televisión. En mi casa, la realidad supera cualquier programa de sucesos sangrientos.

Podrías pensar que después de este terrible incidente, mi madre escarmentó y no volvió a gritarle a mi abuelo por la ventana. Te equivocas. Sigue gritándole, pero ahora toma sus precauciones. Le dice a mi padre:

—Manolo, sujétame de la falda mientras grito.

Y mi padre y yo la sujetamos de la falda mientras grita.

—Qué quieres, Manolito, prefiero que haga el ridículo a que se nos mate.

Yo también lo prefiero, la verdad.

Mi padre es partidario de dejar vivir a las personas, y mi madre, de no dejar vivir a nadie. Además se avergüenza de que a mi abuelo le hayan empezado a llamar «el Travolta de Carabanchel». No quiere ser hija del Travolta. Yo, sin embargo, estoy cantidad de orgulloso. Mola. Como ves, en el hogar de los García Moreno siempre reina la discordia.

Te he puesto en antecedentes para que no te ex-

… de San Pedro, el día grande de las … abanchel (Alto), mi abuelo, yo y el Im… …iéramos sentados en el Parque del Ahor… …, dos horas antes de que llegaran los músicos de la Gran Orquesta Paraíso, y todo porque a mi abuelo Nicolás le gusta ver el montaje del escenario. Y le gusta, sobre todo, ver cómo la cantante se mete al camión para cambiarse y sale transformada, con un traje de los que brillan al ritmo de la música.

Mi madre le había dicho a mi abuelo que a las once nos llevara a casa:

—¡A las once he dicho!

—¿Es que no te fías de tu padre, Catalina?

—¡No!

Ésa es mi madre: la verdad por delante aunque sea dolorosa.

De todas formas, no estábamos dispuestos a que nadie nos amargase las fiestas. Al fin y al cabo las fabulosas fiestas de San Pedro son sólo una vez al año. Los del bar El Tropezón habían montado un puesto al aire libre. Fuimos los primeros en ponernos en la barra. Mi abuelo dijo:

—Estos dos y yo queremos lo de siempre.

Estos dos éramos yo y el Imbécil, que tengo que

explicarlo todo. Fueron las primeras coca-colas y el primer tinto de verano de la noche.

Cuando la Orquesta Paraíso empezó a tocar, mi abuelo ya nos había comprado por lo menos dos cocas más. A él no le gusta beber solo. Así que el Imbécil y yo habíamos reunido en nuestra barriga tantos gases que ya habíamos echado cinco partidas de nuestro célebre concurso de eructos. Me duele reconocer que el Imbécil en ese arte es el número uno. Siempre recuerdo uno de los consejos de mi abuelo:

—En la vida hay que saber perder. En eso los García Moreno somos expertos.

Los primeros que salimos a bailar de todo Carabanchel (Alto) fuimos mi abuelo, yo y el Imbécil. Yo en parte lo hacía por la cantante: es muy triste que nadie baile lo que tú cantas. Menos mal que a la tercera canción la gente se empezó a animar y yo pude volverme al puesto de El Tropezón a seguir bebiendo coca-colas con el Orejones, que ya se había apalancado en la barra. De vez en cuando mi abuelo y el Imbécil abandonaban la pista para tomarse otra de lo de siempre. No sé cuántos viajes hicieron. Hay versiones que dicen que diez, otras

que doce... Y eso que el Imbécil tiene prohibido terminantemente por mi madre y por su equipo de pediatras tomar coca-colas, porque se pone eléctrico y tenemos que atarlo a los barrotes de la cuna para que se quede tumbado y se duerma.

Oye, que esto que he dicho de que lo atamos a los barrotes no es verdad. A ver si te lo crees y nos denuncias en la comisaría más próxima.

Se puede decir que mi abuelo y el Imbécil fueron los reyes de la noche. El Orejones y yo los veíamos desde la barra: ahora bailaban una de los Beatles, ahora una rumba, luego *La española cuando besa.* El Imbécil unas veces saltaba y otras le pedía a quien fuera que le cogiera en brazos, y se lo iban pasando unos y otros y algunas veces lo lanzaban por los aires. Eso es lo que a él le gusta: ser la estrella. Pero por más que se empeñe, nadie puede hacer sombra al Travolta de Carabanchel cuando éste se encuentra en vena; y aquella noche, desde luego, Travolta estaba en vena.

Lo que pasó luego todavía se recuerda en las esquinas y en los bares de Carabanchel (Alto). La cantante empezó a cantar *La chica yeyé.* Mi abuelo, que había hecho una visitita a la barra para cargar el depósito, como él dice, se fue acercando poco a poco a la pista. La gente le fue abriendo paso estremecida y ya nadie se atrevió a competir con aquel ser humano que bailaba inspirado por los dioses. Le hicieron corro y le daban palmas. Mi abuelo tiraba la boina para arriba y se retorcía como uno de esos contorsionistas chinos que salen en los circos de la tele. El Orejones me dijo:

—Tu abuelo molaría en un vídeo de Michael Jackson.

Era verdad; pero ¿cómo decírselo a Michael Jackson? Yo, ni tengo su dirección ni tengo su teléfono, y él por Carabanchel no suele venir.

Volvamos a la pista de baile. Yo casi no podía ver a mi abuelo porque la gente que estaba alrededor no nos dejaba, y eso que el Orejones y yo nos habíamos puesto de pie encima del taburete. Lo que estaba claro es que aquél era un momento estelar en la vida de Nicolás Moreno, mi abuelo. Pero los momentos felices de nuestra vida siempre están para que alguien los estropee. De repente, vi a una mujer que me resultaba familiar y que se abría camino a codazos entre el corro que rodeaba a la estrella. Esa mujer me resultaba familiar porque era... ¡mi madre! No le cogió de las orejas, pero casi. Entre la Luisa y ella se lo llevaron, cada una de un brazo, como si fuera un detenido, y ellas dos, guardias civiles. Mi abuelo se resistía:

—Por favor, Cata, hija mía, por lo que más quieras: nunca me he ido de una fiesta sin bailar *Paquito Chocolatero.*

La gente sabía que, con su ausencia, el baile ya no sería igual. El Orejones, yo y el Imbécil seguimos a la pareja de la guardia civil en nuestra calidad de testigos presenciales. Mi abuelo se volvió para decirme al oído:

—Manolito, majo, anda, quédate y búscame la dentadura, que en una de las vueltas se me ha escapado y ya sabes que no quiero morir sin ella.

Estaba muy pálido y me dio bastante pena. Como mi madre estaba tan mosqueada no se dio cuenta de que me quedé en el parque.

Me agaché entre la gente para buscar la dentadura, pero como estaban bailando me pisaban sin contemplaciones. Se lo dije al señor Ezequiel, el dueño de El Tropezón, que es la persona con más autoridad que conozco, y él se subió donde los músicos conmigo de la mano. La música paró y el señor Ezequiel dijo:

—Queridos vecinos: en las fiestas de nuestro barrio se han perdido anillos, pendientes, lentillas... pero es la primera vez en nuestra historia que se ha perdido una dentadura. Les pido que busquen por el suelo la auténtica sonrisa del Travolta de Carabanchel.

Nunca olvidaré lo que pude ver desde el escenario: todo el mundo se agachó para buscar la sonrisa de mi abuelo.

De pronto, el Orejones gritó:

—¡Aquí la tengo, yo la encontré!

La gente aplaudió a rabiar. Esto me fastidió un poco. Nunca es fácil celebrar la victoria de tu mejor amigo.

El Orejones entregó la dentadura y el señor Ezequiel añadió:

—Como presidente de esta vecindad creo que es justo que el vecino don Nicolás Moreno reciba una medalla de las del maratón por la paliza que se ha dado esta noche y por la que le espera en casa.

Llegué a mi portal con la dentadura y la medalla en el bolsillo. Llamé por el telefonillo, y mi madre dijo:

—¿Pero tú qué haces ahí, no estabas acostado?

Qué increíble. No me habían echado en falta. Hay momentos en la vida en que no sabes si alegrarte o echarte a llorar.

Mi abuelo no se había muerto pero tenía toda la cara. Yo creo que es inmortal.

Cuando mis padres se fueron a acostar después de darle dos cafés y pastillas, yo saqué la dentadura, le soplé un poco la tierra y se la eché en el vaso con los polvos. Luego le levanté la cabeza, le puse la medalla y me metí en la cama con él.

—Todo el mundo te aplaudió, abu, y mamá tendrá que callarse cuando vea que has ganado la medalla. Es de bronce auténtico.

—Que me quiten lo bailao, Manol...

Dicho esto, la cabeza se le cayó y se le hincó en el hombro. Otro hubiera creído que se había muerto; pero yo, que conocía mejor que nadie los ruidos y los gestos de mi abuelo, que veía cómo se le descolgaba todas las tardes la mandíbula delante del televisor, sabía que se había dormido.

SOÑANDO CON SIRENAS

De repente, sonó el teléfono. Sería la una de la madrugada y estábamos todos durmiéndonos una película en el sofá. Como ya no tengo que madrugar, me dejan estar en el sofá hasta las mil y una monas. Cuando ya estamos consiguiendo que el sofá parezca una sauna, mi padre dice:

—Joé, qué calor que me estáis dando, me tenéis asfixiao. ¡A la cama, garrapatas!

Así nos llama mi padre. Dice que somos sus garrapatas, que nos pegamos a su tripa y, aprovechando que él está distraído viendo un programa en la tele, le chupamos la sangre. Somos, sin ninguna duda, los dos hijos más plastas del mundo mundial. Somos plastas de concurso. Nos encanta dormirnos encima de mi padre. Antes, la barriga de mi padre era sólo para mí. Eran tiempos mejores. Ahora la tengo que compartir con el Imbécil. Menos mal que mi padre, para que yo no me mosquee, bebe todas las cervezas que puede y hace lo posible por tener cada día la barriga más gorda, y que haya sitio suficiente y no nos peleemos. Cuando llevamos un rato encima de él, se pone a sudar a chorros y nos grita y nos tira encima de mi madre y nos insulta para que nos larguemos, pero le cuesta mucho porque somos sus auténticas... ¡Garrapatas!

Aquella noche de la que hablaba hace un rato, mi padre nos había intentado echar de su lado varias veces, se enfadaba, pero luego le daba la risa cuando el Imbécil le ponía el chupete en el ombligo. Mi madre le había puesto también los pies encima y mi padre decía:

—Dios mío, qué agobio. Que me vuelvo al camión, ¿eh?

Entonces el Imbécil y yo nos subíamos encima de él porque no nos gustan sus amenazas de fuga. Ya bastante tenemos con aguantar que de lunes a jueves no duerma en casa.

—¡Cata, haz algo, que esta noche me matan!

—Para que te enteres de lo plastas que son tus hijos —le dijo mi madre, poniéndole los pies más cerca de la cabeza.

Esas gracias sólo las tiene mi madre los viernes, cuando mi padre vuelve de la carretera. Es el día que suele estar contenta. Mi abuelo, desde el mueble-bar, donde se estaba tomando su famoso soperío nocturno, decía:

—Para que luego digas, Manolo, que no tienes calor de hogar.

Fue exactamente entonces, después de aquella frase de mi abuelo, cuando sonó el teléfono. Y como era por lo menos la una de la madrugada, todos nos pegamos un susto. Mi madre dijo:

—Ay, Dios mío, quién se habrá matado.

Mi madre no admite términos medios: si alguien llama a la una de la madrugada es porque se acaba de matar y llama en cuerpo presente desde el Tanatorio. Pues se equivocaba. El que llamaba era mi supertío Nicolás, su hermano, que se marchó hace un año a trabajar a Oslo (Noruega) y se está haciendo de oro trabajando de camarero en un restaurante italiano. En un futuro, mi tío será el dueño porque cada vez hace mejor de italiano. Incluso cuando llama por teléfono desde el restaurante habla español con acento italiano.

Mi tío dijo que nos llamaba tan tarde porque acababa de decirle a una chica noruega que si se casaba con él, y la chica le acababa de decir que sí (en noruego) y él quería traérnosla para que le diéramos el visto bueno.

Éste fue el principio de la experiencia más importante de mi vida, date cuenta que los García Moreno nunca nos habíamos mezclado con personas de otros países, y ése es un pequeño paso que puede cambiar la historia de la humanidad.

Los cinco días que pasaron hasta el viernes en que llegó mi tío, mi familia vivió al borde de un infarto criminal. La Luisa y mi madre desinfectaban la casa y la escalera y sacaban brillo a diestro y siniestro. Yo creo que hasta a la calva de Bernabé le dieron una pasadita.

Por fin fue viernes, por fin el gran día al que llamaremos LL (de llegada, claro). Nos fuimos todos al aeropuerto en taxi porque a mi madre, al aeropuerto de Internacional, no la gusta llevarse el camión, porque dice que la gente te mira como si fueras un camionero. Mi madre es que a veces no se debe de acordar de que mi padre es camionero, porque si no, no lo entiendo.

Estábamos llegando ya. Yo había estado tres veces en el aeropuerto; las tres a recoger a mi tío Nicolás: es el único familiar que tengo que viaja en avión, así que siempre que he soñado con aviones o con aeropuertos, el protagonista era mi tío Nicolás. Cuando vi con mis gafas ese pedazo de cartel que decía: INTERNACIONAL, y vi al taxista que no se coscaba, me entraron unos nervios y un miedo de que se equivocara y no lo encontráramos, que le cogí la cabeza al taxista por detrás y le dije:

—¡Que por ahí viene mi tío de Oslo, oiga!

El taxista frenó en seco, se volvió y le dijo a mi padre:

—Si no le da usted al niño de las narices un bofetón, se lo doy yo, que no es por nada, pero estoy deseando.

Y mi padre va y le dice:

—Usted se lo dará a esos tres que tiene en la foto cuando llegue a casa, pero al mío le doy yo, que para eso lo mantengo.

Yo pensé:

«Mola mi padre.»

Lo pensé sólo un momento, hasta que salimos del taxi y me cayó la torta prometida. Entonces volví a pensar:

«Retiro lo dicho: no mola mi padre.»

No veas cómo aluciné en el aeropuerto de Internacional. Había hasta una familia de negros de una tribu: con su padre, con su madre, con sus hijos. Había carritos para llevar las maletas y yo cogí uno, porque era gratis cogerlo, y monté al Imbécil encima, y va y se me pone un tío en medio y en un momento de descontrol de mandos me lo llevé por delante, y mira que le dije: «Lo he hecho sin querer, lo he hecho sin querer»; pues nada, el tío no paró de quejarse a mi padre, que parecía que lo hacía a posta con toda su mala idea. Y mi padre, que en los aeropuertos se ataca de los nervios, me dio otra galleta en solidaridad con el tío y con el taxista y con los de la tribu. En ese momento, cuando yo ya había pensado ponerme a llorar por darle gusto a mi padre (es que a él le gusta que expreses tu dolor, no le gusta que te hagas el machito), se abren unas puertas y aparece Ella, y detrás, mi tío.

Mi tío, que para mí siempre fue un tío alto, le llegaba por el ombligo, así que yo a mi futura tía noruega la llegaba por los pies. Hablando de los pies... Mi futura tía noruega tenía unos pies inmensos de los que le salían unas piernas como dos columnas de templo griego, con sus pelos muy largos y muy rubios. Mi tío nos explicó luego que las vikingas son muy naturales y pasan de todo, y no se hacen la cera como mi madre, que tiene los pelos igual de largos pero muy negros. Mi futura tía vikinga tiene una cara muy blanca con dos colores rojos en cada moflete, es supergrande, la mujer más grande que yo he visto en mi vida, y todos la mirábamos hipnotizados. Mi tío dijo con una sonrisa de oreja a oreja:

—¿Qué os parece mi novia?

—Muy bien, pero no sabemos dónde la vamos a meter —le contestó mi abuelo.

De momento, la metimos en el taxi, con mi abuelo y conmigo, uno a cada lado. A mi futura tía noruega se le subió un poco la falda y se le veían los pelos rubios, tan bonitos, que le brillaban en esas piernas tan grandes. Mi abuelo y yo la fuimos mirando todo el camino. Yo tenía que acordarme de vez en cuando de tragar saliva. A mi abuelo se le olvidaba y se tenía que acordar de vez en cuando de recogérsela con el pañuelo.

Cuando llegamos a la puerta de mi casa y salimos de los dos taxis, tuve la sensación de que al lado de ella éramos como los enanitos del bosque.

Los tres días que han pasado en casa no hemos mirado otra cosa. Mi abuelo no ha visto ni sus telenovelas.

Y al Imbécil y a mí se nos olvidaban los dibujos. La mirábamos tan fijamente como cuando miramos la televisión.

Al Imbécil, como tiene tanto morro, era al único que cogía en brazos. Es natural, no iba a coger a mi abuelo, aunque a mi abuelo le hubiera encantado porque decía:

—Mira éste, llega el último y es el que más suerte tiene.

Mi madre se empezó a poner de los nervios al segundo día. No hacía más que ponerle pegas a la noruega por lo bajini, al oído de mi abuelo:

—Come estupendamente, pero la cocina ni la pisa.

LLEGADAS

—Mujer —le decía mi abuelo—, no querrás que para dos días que viene a España se ponga a guisar.

Como mi madre no tenía éxito con mi abuelo, le decía al oído a mi padre:

—No me digas tú que está bonito que una mujer se deje los pelos.

—Son tan rubios, Cata, que no se notan —le contestó mi padre.

Y luego, al oído de mi tío:

—Estás como poseído, todo el día detrás de ella. Con lo grande que es te dejará por otro tan grande como ella.

—¿No es verdad que parece una sirena? —le decía mi tío, que nunca hace mucho caso de lo que dice mi madre.

Entonces mi madre vino por fin a mi oído:

—No hace falta que la sigas por toda la casa.

—La sigo por si te rompe algo a su paso. Como es tan grande... —Es lo único que se me ocurrió.

Para terminar, bajó al Imbécil de los brazos de mi futura tía noruega y le dijo:

—El nene ya no es tan pequeño como para pasarse el día en brazos.

El Imbécil se la quedó mirando fijamente, como

él mira cuando está indignado, y sin decir nada, volvió a subirse en brazos de la supernovia de mi tío Nicolás. Cuando el Imbécil mira de esa manera, ni mi madre se atreve a contrariarle; podría tener un ataque de furia que ríete tú de los de la niña endemoniada de *El exorcista*.

Una madre celosa puede ser terrible. Una madre celosa a la que nadie hace caso no se la deseo a nadie.

Mientras ella iba de un oído a otro y se pasaba hablando de los defectos de la noruega, yo pasé los tres días más importantes de mi vida. Mi tío me dejó que la llevara por todo Carabanchel (Alto), para enseñarle a ella el barrio y para que el barrio la viera a ella... conmigo. Ella no me entendía ni palabra, pero se enteraba de todo porque yo se lo expliqué con gestos. Me di cuenta de que habría sido un gran actor de cine mudo. Lástima haber nacido tan tarde.

Le expliqué todos los secretos de mi barrio: el Parque del Ahorcado, la cárcel de Carabanchel (hasta le conté lo de los presos en régimen abierto), los cuernos de chocolate que vende la Porfiria, las tapas de El Tropezón, y que la socia cocinera del Ching-Chong se ha quedado embarazada del camarerero chino, así que dentro de seis meses sabremos qué cara tiene la mezcla. También le enseñé mi colegio y le hablé mucho rato de Yihad, de lo contento que estaba sin verle. Como mi futura tía no sabe la pobre cuáles son las palabrotas en español, me dediqué a insultar a Yihad con todas las que me sabía y con todas su letras, y ella todo el rato sonriendo. Es lo bueno que tiene hablar con alguien que no te entiende, que tienes más libertad.

En todas partes a las que iba con ella tenía éxito. Ella hacía lo que le había dicho mi tío Nicolás: decía «Hola», daba dos besos a las mujeres y la mano a los hombres, y así quedaba estupendamente. Mi tío serviría para ser maestro: le repitió cincuenta veces que los besos sólo se los diera a las mujeres, que a los hombres sólo la mano. Y como ella se reía, se lo volvía a repetir. Mi tío me dijo que yo le contara a la vuelta si ella había seguido al pie de la letra sus enseñanzas. Yo hice todo lo posible porque no se equivocara: cuando el señor Ezequiel, el dueño de El Tropezón, se salió del mostrador y todo para abrazarla cuando se la presenté, yo le advertí:

—Mi tío Nicolás le ha enseñado que en Carabanchel a los hombres sólo se les da la mano.

El señor Ezequiel me dijo riéndose:

—Dile a tu tío que baje y que hablaremos él y yo de las costumbres de Carabanchel.

Mi tío bajó y se encontró con sus antiguos amigos de cuando él vivía también hace dos años en el barrio. Mi tío Nicolás habló mucho rato de Noruega, de que a las tres de la tarde ya era de noche y de que lo mejor que te podía pasar en Oslo era echarte una novia como la suya, para no ponerte triste aunque se hiciera de noche. Mi tío Nicolás dice que aunque Noruega es muy bonito, él está ahorrando para poner en un futuro un restaurante italiano en Carabanchel. Mi tío Nicolás decía esto sin soltar la mano de su novia, y yo le escuchaba sin soltar la mano de mi futura tía. Las dos manos, como te habrás percatado, eran de la misma noruega.

Mi tía noruega fue un acontecimiento que los vecinos de Carabanchel recordarán durante mucho tiempo. Incluso mi madre, que tantas pegas le puso, ha empezado a presumir de mi-cuñada por aquí y de mi-cuñada por allá. Yo no la volveré a ver hasta las próximas Navidades. Por un lado quiero que no se acabe el verano y por otro quiero que vuelvan. Qué difícil es la vida.

La última noche mi tío Nicolás me dijo que durmiera con ellos en el sofá-cama del salón. Ellos se reían mucho de tenerme en medio y yo estaba muy cortado. Yo le dije a mi tío:

—Es verdad lo que dijiste, tío Nicolás, parece una sirena pero muy grande, del tamaño de una ballena.

Mi tío se lo dijo en *osleño,* en su idioma. Y mi futura tía noruega se reía como una loca. Aquella noche soñé con sirenas noruegas en el lago de la Casa de Campo. Debió de ser por eso que pasó lo que pasó. Ella me dijo que nunca se lo contaría a nadie. Mi tío me lo tradujo. Ahora que tengo un secreto con una noruega ya no soy el mismo de antes; soy el tío más importante que conozco. Ninguno de mi clase tiene un secreto internacional. Aunque el secreto sea que... que... me meé.

—Natural —dijo mi tío Nicolás—. Eso pasa siempre que uno sueña con sirenas.

MOSTAZA,
MI AMIGO DE TODA LA VIDA

Antes de ayer, a las cuatro de la tarde, mientras en Carabanchel (Alto) todo el mundo dormía la siesta, íbamos el Imbécil y yo por la calle hablando de nuestras cosas. Yo estaba dándole unos consejos prácticos sobre la vida y los problemas que ésta nos plantea. El tema era: «¿Cómo comerse un helado a las cuatro de la tarde?» Se chupa, diréis unos; se muerde, diréis otros. Qué listos sois todos. Me gustaría veros a vosotros intentando comeros un helado a esa hora en mi barrio sin mancharos la camiseta que vuestra madre os dio limpia por la mañana. A mí me han hecho falta años de entrenamiento. Ahora soy un maestro y estoy enseñando a mi alumno.

Si quieres una sauna gratuita, te recomiendo que te sientes con una toalla en el Parque del Ahorcado a esa hora mortal. A los cinco minutos, estás deshidratado, a los diez minutos, estás muerto. Te preguntarás cómo sobrevivimos nosotros. Científicos de todo el mundo vinieron a mi barrio a estudiar este extraño proceso de supervivencia ante situaciones extremas. No pudieron obtener respuesta, tan sólo una hipótesis:

«Los habitantes de Carabanchel (Alto) están hechos de otra pasta que el resto de los humanos. Si hubiera una hecatombe nuclear sólo sobrevivirían los insectos y los habitantes de ese extraño lugar.»

Estoy de acuerdo con esa hipótesis porque la compruebo todas las tardes. Después de comer, mi abuelo se pone la boina y la dentadura y se baja con nosotros a la calle. Mientras nosotros damos vueltas con el helado que nos compra en El Tropezón, mi abuelo ronca un rato en el banco del parque.

Dice que el calorcito le sienta muy bien para los huesos. Hay veces que cuando vamos a despertarlo y le levantamos la boina la cabeza le quema. Se podría freír un huevo en la propia cabeza de mi abuelo. Una vez se bajaron unos turistas de un coche y le sacaron una foto mientras dormía, y el Imbécil y yo nos pusimos uno a cada lado. Los turistas se metieron rápidamente porque estaban a punto de sufrir un desmayo mortal con quemaduras de primer grado.

Con todo este rollo repollo te quiero decir que no es fácil tener un helado a esas horas en la mano sin que se te derrita. Yo, como experto devorador de helados, tengo mis normas:

1. Hay que comerlo deprisa.
2. Darle con la lengua magistralmente, para que en ningún momento gotee.
3. Sorprender al helado con un lametón, antes de que el helado te sorprenda a ti con un manchurrón.

Además, el manchurrón en mi casa está penalizado: «un manchurrón = una colleja». He prosperado bastante: hace dos años me llevaba muchas más que ahora. Pero claro, hoy en día tengo la responsabilidad del Imbécil. Aunque a él nunca le riñen demasiado; por eso siempre va por la vida tan tranquilo. El tío se toma su helado sin prisas, metiendo los dedos dentro del cucurucho, limpiándoselos luego en los pantalones, y chupándose el trozo de ropa donde se le ha caído el goterón. Si el helado es de chocolate, el Imbécil acaba negro (incluidos los calzoncillos); si es de fresa acaba rosa. Lo malo es que a veces se las arregla para mancharme también a mí. Pero es muy feliz. Yo, sin embargo, cuando me como un helado con él a las cuatro de la tarde, acabo atacado de los nervios, pensando en que futuras collejas me sobrevuelan la nuca.

De estas cosas le iba hablando al Imbécil antes de ayer. Mientras yo me deshacía en consejos sobre la forma de comer el helado, él se untaba el cucurucho por todo el cuerpo igual que mi madre se da con la bola del desodorante. Así que le dije:

—Pero ¿te enteras de algo?

—El nene quiere con Manolito hablando.

Eso quiere decir:

«Quiero comerme el helado y que tú me sigas hablando» o «Aunque no te vaya a hacer ni caso, me entretiene mucho que cuentes tu vida». No sé por qué, pero cumplí sus órdenes. Sí sé por qué: porque soy un tío buena persona y porque si no lo hago es capaz de ponerse a llorar y sacar a mi madre de la siesta (mi madre tiene una antena especial para escuchar los llantos del Imbécil a varios kilómetros de distancia).

Me puse a hablarle de que estaba harto de pasar las tardes con un niño tan pequeño como él, que necesitaba hablar con gente de mi generación, que estaba harto de que todos mis amigos estuvieran por ahí de vacaciones...

—Yo también estoy harto.

Me dio un vuelco el corazón. Miré al Imbécil. No podía creer que él hubiera dicho aquella frase. No es su estilo. Él siempre habla en tercera persona. Descubrí que la voz procedía de otro sitio. El que había pronunciado aquellas palabras estaba sentado en la ventana de un bajo que hay cerca de El Tropezón. ¡Era Mostaza! ¡Mostaza, mi compañero de clase!

—¿Quieres venir un rato a mi casa? —me dijo.

¡Qué sorpresa! El Imbécil y yo pasamos a su casa. Nunca había estado allí porque a Mostaza y a mí nunca se nos ha ocurrido ser amigos. Entré hablando bajito: mi madre nos tiene dicho que a esa hora se habla así para no despertar a nadie de la siesta. Dice que cuando despiertas a una madre de la siesta, se pone enferma del corazón. La madre de Mostaza no estaba durante todo el día, y el padre de Mostaza se fue de su casa hace dos años y no han vuelto a saber de él. Él no me lo ha contado, lo sé por la Luisa, que sabe todo lo que pasa en Carabanchel (Alto). Incluso hay veces que hasta se entera de lo que pasa en Carabanchel (Bajo). Yo le pregunté, por ampliar datos:

—¿Y tu madre?

—Limpiando.

—¿Y tu padre?

—Pues no lo sé ni me importa.

Si a él no le importaba, a mí tampoco; que para eso estaba en su casa, y dice mi abuelo que en una discusión siempre lleva la razón el dueño de la casa en la que se está discutiendo. Dice que es así en cualquier país del mundo. Así que pasamos del padre, y entonces Mostaza se puso a hablar de su madre. Me contó que una vez se limpió todas las escaleras de la Torre Picasso, que tiene veintinco pisos.

Conociendo a su hijo, no me extraña: ya te dije un día que a Mostaza le llamamos en el colegio «La Hormiga Atómica» porque es bajito y terriblemente veloz. En una ocasión llegó a superar la velocidad de la luz. Demostrado con cronómetro y ante notario. Mostaza es el único niño de mi clase que es más bajo que yo; sólo por eso siempre le he tenido algo de cariño. Pero la *sita* Asunción dice que por lo que realmente Mostaza será conocido algún día en el extranjero es por ser un gran cantante.

Todos los finales de curso Mostaza canta una canción. Canta mejor que Joselito y que Tutto Pavarotti. Yo, la verdad, es que había hablado con él muy poco; sólo le había escuchado cantar. Mostaza casi nunca habla con los de mi banda. Siempre habla bajito y nada más que con el que se siente a su lado. Hace eso porque la *sita* dice que es tímido, como lo han sido casi todos los hombres ilustres de niños. Eso quiere decir que yo nunca seré un hombre ilustre, porque yo no soy tímido. Lo intento; hay veces que me lo propongo por las mañanas. Pienso: «Hoy voy a empezar a ser un tímido, seré un niño callado, interesante, de esos que guardan dos o tres grandes secretos», pero por más que me pongo, no me sale. En cuanto la *sita* hace una pregunta, ya estoy yo con la mano levantada me sepa o no me sepa la respuesta. Hablo con todo el mundo, soy un niño sin vida interior.

Pero ahora, en mitad del verano, con Carabanchel desierto, Mostaza es el único niño con el que yo puedo jugar.

—¿Por qué nunca vienes al Parque del Ahorcado con nosotros?

—No me acerco porque tú eres de la panda de Yihad, y Yihad se chulea de mí continuamente y vosotros le reís la gracia.

Le tuve que decir que Yihad también se chuleaba de mí y que no era verdad que yo le riera las gracias. Mentía. Seguramente Mostaza tenía razón. Como Yihad siempre se está metiendo conmigo, la verdad es que me alegra que de repente se ponga chulito con otro. Es humano. Y también es horrible. Me puse colorado por dentro, que es una modalidad que yo tengo para que no se me note.

—Bueno, ahora que no está Yihad podemos hacer otra panda —le dije yo, para romper la tensión ambiental—. Somos tres contando al Imbécil.

—No, somos cuatro.

En su diminuta habitación estaba su hermana pequeña, Melani, que sería de la edad del Imbécil.

—Mola —le dije yo.

Dejamos a los pequeños jugando a los Legos, y Mostaza preparó para nosotros dos supercolacaos y nos hartamos de comer chocopripis. Molaba un pegote su casa diminuta.

—No tienes que hacerle caso al chulo de Yihad —le estaba cogiendo el gusto a eso de dar consejos—, mi abuelo dice que llegará un día en que yo le daré capones con la barbilla. Tú lo tendrás más fácil; como serás un cantante famoso, ni el más macarra se podrá meter contigo. A lo mejor Yihad se arrodilla un día y te dice: «Mostaza, Mostaza, perdóname por todo lo que te hice y déjame llevarte la guitarra, que estoy en el paro.»

Mostaza se partió de risa con la idea.

—Antes de ser famoso cantando, me voy a hacer dentista.

Nunca se me hubiera ocurrido elegir esa profesión. A mí los dientes de la gente a veces me dan mucho asco; pero Mostaza tenía sus razones:

—Así podré pagarme el aparato que me hace

falta y tener dinero para que mi madre se arregle las muelas que tiene picadas.

Mostaza abrió la boca para que le viera los dientes de delante un poco salidos.

—Yo de mayor —le dije— me quitaré las gafas y me pondré unas lentillas azules.

—Mola —dijo Mostaza—. También te puedes hacer oculista, y te arreglas lo de las lentillas.

—Ya, pero es que desde hace un mes quiero ser un actor bastante famoso internacionalmente.

—Bueno, te puedes hacer primero oculista y cuando ya tengas tus lentillas graduadas azules, te buscas trabajo como actor. Es mucho más fácil que te den trabajo como actor internacional si te presentas con los ojos azules que con los marrones que tenemos nosotros, que son unos ojos que no van a ninguna parte.

—Chachi. —Me gustaba la idea.

Mostaza tenía soluciones prácticas para todo y no había nada en que no estuviéramos de acuerdo. Me di cuenta de que nos estábamos haciendo amigos de toda la vida. De repente oímos unos gritos estremecedores. Venían de la habitación. Fuimos corriendo. El Imbécil y la hermana de Mostaza se tenían el uno al otro cogidos de los pelos. Los dos estaban rojos y los dos gritaban. Mostaza agarró a su hermana por la espalda y yo al Imbécil. Nos costó mucho separarlos. Por fin pudimos. Cuando al fin lo logramos, cada uno de los dos enanos tenía un manojo de pelos del otro en la mano. Se quedaron mirando con mucho odio y jadeando.

—Al nene le ha hecho mucho daño ésa —dijo el Imbécil, y se echó a llorar en mis brazos.

—Me estaba matando —dijo la Melani, y también se echó a llorar en los brazos de su hermano.

Nos costó mucho que volvieran a jugar juntos. Tuvimos que quedarnos a vigilar, porque de vez en cuando se les escapaba un tortazo mortal y volvían a la carga.

—La mía tiene la mano muy larga —dijo entonces Mostaza.

—El mío es muy caprichitos. Es que está muy malcriado —dije yo.

Cuando nos despedimos, les obligamos a que se dieran un beso. Los dos sabíamos que nuestros terribles alumnos tendrían que llevarse bien quisieran o no quisieran porque iban a pasar muchísimas tardes juntos.

Antes de irnos le dije a Mostaza:

—¿Le harás una dentadura nueva a mi abuelo para que no se le descoloque?

—Fijo que sí.

—Mañana en el Ahorcado a las cuatro. Mi abuelo os puede comprar un helado. Como cobra una pensión tan pequeña, se la gasta toda en helados y cosas así.

—Qué morrazo —dijo Mostaza.

Luego se asomó a la ventana de su piso bajo diminuto para decirnos adiós.

—Tendré que llevarme a la Melani, porque mi madre no vuelve hasta las seis.

—Y yo al Imbécil, porque mi madre no puede vivir sin echarse la siesta.

¿Cómo podía haber estado yo tres años en la misma clase sin haberme hecho amigo íntimo de Mostaza? Seguramente porque Yihad no le había dejado nunca acercarse. Carabanchel sin Yihad molaba muchísimo más. El Orejones era mi mejor amigo, claro, pero no le importaba traicionarme a la primera de cambio. Además, me había dejado solo y tirado todo el verano; ni tan siquiera me había invitado a ir a Carcagente, sabiendo como sabía que mis padres no tenían dinero este verano para llevarnos a ningún sitio de veraneo.

Por mí se podían quedar todos mis amigos por ahí de vacaciones para siempre. Sin moverme de mi barrio me había echado un amigo de toda la vida.

EL REGRESO DEL OREJONES

—Manolito... ¿a que no sabes quién soy?

—¡Ore!

El Orejones había vuelto. Sólo había pasado un mes desde que se había ido de vacaciones, y su voz ya me sonaba superrara; y eso que los once meses restantes del año hablamos tres veces o cuatro veces al día por teléfono. Mi madre siempre dice:

—¡Cuelga ya! ¿Pero se puede saber qué tenéis que deciros? Si estáis todo el día juntos.

Cuelgo, y acto seguido ella llama a la Luisa y se

tiran dos horas venga a hablar de sus tonterías. Y eso que la Luisa vive en el piso de abajo. A eso se llama predicar con el ejemplo. Con el ejemplo contrario, claro.

—Acabo de llegar —siguió el Orejones—. He estado con mi padre en Carcagente y luego con mi madre en Carcagente, y allí tenía una panda bestial, y entraba al cine gratis por el morro porque mi tío es el que corta las entradas, y una noche me acosté a las tres de la madrugada porque estuve en el baile de Carcagente, que mola más que el de aquí, y me sacó a bailar tres veces la misma chica, te lo juro. Ahora, que yo, a la tercera le dije: «Nunca bailo tres veces con la misma chica.» Así se lo dije, con estas mismas palabras. ¿Tú dónde has estado?

—Aquí...

—Te he traído un botijo que pone «Recuerdo de Carcagente» y a la Susana un cenicero que pone lo mismo que tu botijo: «Recuerdo de Carcagente». ¿Has visto a Yihad este verano?

—No, también estuvo todo el tiempo fuera.

—Qué muermazo debiste de pasar, tío...

—No tanto —le dije yo, que me estaba empezando a mosquear.

—A mí, en cambio, en Carcagente, se me pasaba el tiempo volando. Para mí que en Carcagente los días duran veintidós horas, si no es que no me lo explico. Me he puesto supermoreno, tío. En Carcagente te pones cinco minutos al sol y ya estás negro. Y tú, tío, ¿estás negro?

Sí, estaba negro, negro de escucharle. Pero el Orejones no estaba dispuesto a dejarme en paz. Necesitaba a alguien con quien tirarse el rollo de su veraneo de las narices.

—Voy a preguntar a mi madre si me deja ir un momento a tu casa.

Y su madre le dejó, claro. Su madre siempre le deja.

A los diez minutos, el Orejones llamó a la puerta. Cuando abrí, nos quedamos mirándonos extrañados el uno al otro, como si sólo nos conociéramos por foto o por referencias. No parecía mi amigo, estaba muy moreno y más gordo. Además llevaba unas zapatillas negras que yo no le conocía. Eso joroba: te separas de un amigo tuyo un mes y cuando vuelves a verlo se ha comprado unas deportivas nuevas.

—¿Te gustan? —me dijo, subiendo un pie y luego el otro—. Me las compré en Carcagente. Son las que lleva Zamorano para salir por las tardes después de los entrenamientos.

—¿Y tú cómo lo sabes? —Me fastidia que la gente se tire el pegote sin presentar pruebas fidedignas.

—Porque lo vi en una revista el día que me cortaron el pelo en la peluquería de Carcagente.

Ante la evidencia de las pruebas, me tuve que callar. Pero decidí callarme del todo. Me senté en el sofá y ahí estuve sin decir ni mu mientras el Orejones se hacía el simpático con mi abuelo, con mi madre y con el Imbécil. Su especialidad es caer bien a todos los miembros de mi familia.

—Pero, Manolito, si estás deseando que venga tu amigo. Todo el verano diciendo que si me aburro sin el Orejones, que cuándo vendrá el Orejones, y luego no le haces ni caso. Lo raro que es este niño.

Cuanto más me decía eso mi madre, más me ponía yo a ver la televisión. Es de esas veces que odias a tu mejor amigo y a tu propia madre pero no sabes muy bien por qué.

El Orejones no paraba de contar maravillas de

Carcagente. Horror: habíamos llegado al capítulo de las fiestas:

— ... de repente vi que la chica venía directamente hacia mí. Había un montón de chicos, pero ella venía enfilada hacia mí, como si no existiera nadie más en el mundo. Por no decir que no, bailé con ella una vez. Al rato va y me vuelve a sacar. Bailé otra vez porque no me gusta quedar como un antipático.

—Y muy bien que hiciste —dijo mi abuelo—. Como la chica era de Carcagente, la gente hubiera pensado: «Mira el de Madrid, qué creído se lo tiene, decirle que no a la tía más maciza de Carcagente.»

—¡Claro! ¡Eso es lo que yo pensé! —gritó el Orejones, que estaba feliz porque mi abuelo le entendiera a la perfección—, pero es que va la tía y me saca por tercera vez...

—¿Y qué hiciste? —le preguntaron mi madre y mi abuelo como si fuera la historia más emocionante que habían oído en su vida.

—La dije: «Lo siento, tengo por norma no bailar tres veces con la misma chica.» Así se lo dije, con estas mismas palabras.

Mi madre y mi abuelo se echaron a reír a carcajadas y el Imbécil se puso a aplaudir. A mí no me hacían ni caso, y mira que me estaba haciendo el mosqueao con toda la fuerza de la que soy capaz.

El Orejones siguió contando gracias un rato más. Contó que sus abuelos-por-parte-de-madre no se hablan con sus abuelos-por-parte-de-padre y que él servía para dar los recaditos de un bando a otro. Nos dijo que estaba más gordo porque sus dos abuelas estaban convencidas de que en casa de la otra abuela el Orejones pasaba hambre. Nos enseñó la barriga y la espalda para que viéramos los terribles efectos del sol de Carcagente, pero el *striptease* no acabó ahí: para demostrarnos lo que había engordado y lo que había crecido, aseguró que le habían tenido que comprar hasta una talla más de calzoncillos. ¿Y qué te crees que hizo? Se los bajó un poco por la parte del culo para que mi madre pudiera comprobar el número que venía detrás. Mi madre comprobó la talla, como si fuera un notario y, a continuación, dijo para el público presente:

—Efectivamente, este niño ha aumentado hasta de talla de calzoncillos.

—¡Qué barbaridad! —dijo mi abuelo, que se ve que también tenía la tarde pelota.

Ya que se había bajado un poco los pantalones, aprovechó para mostrarnos la diferencia entre la morenez de la espalda y el blanco leche del culo. Te lo juro: no tiene vergüenza. Cuando pasamos la noche juntos, se pasea desnudo por la habitación pasando de todo, o se pone a hacer caca mientras te habla como si tal cosa. En eso se parece al Imbécil; le enseñan sus partes a quien haga falta. Yo hace un año quise empezar a cerrarme con llave la puerta del váter, pero mi madre no me dejó porque ella tiene miedo a que me dé un golpe en la cabeza contra los azulejos y ella tenga que destrozar la puerta para rescatarme. A mi madre, una puerta destrozada le destrozaría el corazón. Lo de mi cabeza lo encajaría mejor. Total, que como estaba harto de que me abrieran la puerta cuando yo estaba en plena concentración intestinal, me hice un cartel y mi abuelo me lo plastificó, que dice:

NO ENTRAR. MANOLITO ESTÁ
HACIENDO DE LAS SUYAS.

Y no entran. No te creas que se cortan por respeto. Se cortan por el olor. Son muy pocos los humanos que pueden soportar semejante azote aromático. Científicos de todo el mundo han llegado a afirmar que si se metiera a un individuo durante una hora en una habitación repleta de ese tipo de gases humanos, dicho individuo podría llegar a perder primero la cabeza y luego la vida. A no ser que el individuo abriera la puerta y les dijera a los científicos que por qué no utilizaban a sus madres como conejillos de Indias. Y es que, desde luego, hay individuos que aman mucho la vida para dejarse matar por un simple experimento científico.

Pero volvamos al Orejones, al día de su vuelta y a lo pesado que se estaba poniendo. Mi madre, por fastidiarme, le invitó a cenar, pero el Orejones dijo que tenía que comerse toda la comida que le habían puesto sus dos abuelas enemigas antes de que se estropeara. Menos mal. No sé si hubiera podido soportar su simpatía durante toda una cena.

Dio besos a todo el mundo (menos a mí, estaría bueno) y al irse me dijo:

—Manolito, mañana nos vemos en el Ahorcado, ¿vale?

Cuando ya se había marchado, mi madre le dijo a mi abuelo.

—¡Lo que me gusta este niño para amigo de mi Manolito!

Los dos se reían recordando la aventura de aquella chica tan plasta de Carcagente que, por lo que se veía, el Orejones estaba dispuesto a contar varias veces al día.

A la mañana siguiente bajé al Ahorcado, pero no fui solo: llamé a Mostaza para que se viniera conmigo. Al fin y al cabo había estado saliendo con él todos los días mientras el Orejones estaba fuera; no iba a dejarlo ahora tirado. Pero la verdad verdadera era que lo hacía para darle en los morros al Orejones.

Mostaza y yo nos sentamos en el banco, como todos los días, a cuidar de que el Imbécil y su hermana Melani no acabaran tirándose tierra a los ojos. Son niños salvajes y hay que tener cuidado: una vez que se enganchan es muy difícil separarlos. Al rato, llegó el Orejones. Al vernos a los dos se quedó un poco cortado.

—Bueno, Manolito, ¿nos vamos a la cárcel un rato? —me dijo.

Es que el Orejones y yo jugamos de vez en cuando a «Las grandes fugas de la historia». Lo hacemos desde que vimos una película de un tío que se pasaba todo el rato queriendo escaparse de su prisión de máxima seguridad. Cuando faltaban cinco minutos para que la película acabara y se supiera por fin si aquel tío conseguía fugarse o no, mi madre se levantó de la siesta y nos quitó la tele porque dijo que ése no era un tema bonito para que lo vieran los niños. No sé si te he dicho alguna vez que mi madre, recién levantada de la siesta, es todavía peor que a otras horas del día. Esos momentos terroríficos los suele pagar conmigo. Por eso aquel sábado nos quitó la película a mí y al Orejones, por fastidiarme. Desde entonces se nos ha quedado ese trauma y esa fijación, y jugamos a las grandes fugas en cuanto podemos. Nos gusta hacerlo en el escenario adecuado, al lado del muro de la cárcel de Carabanchel. Es un juego al que sólo jugamos el Orejones y yo, que para eso somos los que nos quedamos a dos velas sin ver el final. Así que no era nada raro que el Orejones, aquel día, en el Parque del Ahorcado, para ponerse a buenas conmigo, me propusiera nuestro juego secreto:

—Bueno, Manolito, ¿nos vamos a la cárcel un rato?

—Ahora no puedo: Mostaza y yo estamos cuidando a los niños.

El Orejones se sentó en el banco y se quedó callado. Entonces yo le empecé a contar todo lo que habíamos hecho Mostaza y yo desde que nos habíamos hecho amigos de toda la vida. El Orejones estaba mirando fijamente al Árbol del Ahorcado, de la misma forma que yo el día anterior miraba la tele.

—Bueno, pues me iré yo solo —dijo.

Le estuve viendo desde lejos, al lado del muro, saltando a veces, corriendo otras veces, quedándose muy quieto...

—¿Qué hace? —me preguntó Mostaza.

—Se está fugando de una cárcel de máxima seguridad.

Por la tarde estuve esperando en casa mucho rato a que me llamara, pero no me llamaba el tío rencoroso. Le había dolido hasta la médula que yo tuviera otro amigo. A mí me dolía que se lo hubiera pasado tan bien en Caracagente, a mis espaldas.

—¿Por qué no llamas al Orejones y nos vamos a El Tropezón a tomar un helado? —me dijo entonces mi abuelo.

Estuve pensándolo cinco minutos al lado del teléfono y cuando por fin me iba a decidir a dar mi brazo a torcer... llamaron. Casi no lo dejé sonar. Era él, el Orejones.

—Que si bajas a la calle, aunque sea con tu amigo Mostaza —me dijo.

—No, ahora voy a bajar sólo con mi abuelo.

—Te lo digo porque como Mostaza y tú sois uña y carne...

Quedamos en El Tropezón y mi abuelo nos compró el helado prometido. Nos sentamos en los taburetes de la barra.

—La semana que viene empieza el colegio, qué rollo repollo —le dije.

—A mí me gusta mucho el primer día. No se hace nada y ves a todo el mundo que ha vuelto.

—Menos yo, que no he ido a ningún sitio.

—Te advierto que a mí me salía Caracagente por las orejas.

—Será por los orejones —le dije, y nos echamos a reír.

—Tú, en cambio, lo has pasado genial con tu amigo Mostaza.

—No tanto... Él no sabe jugar a las grandes fugas de la historia.

—Es que ese juego sólo lo sabemos tú y yo, nos lo inventamos nosotros —me recordó el Orejones.

—El año que viene me podías llevar a Carcagente.

—O me podía quedar contigo en Carabanchel.

Nos pusimos a hacer nuestros planes para el verano siguiente, un verano en el que no nos separaríamos jamás. Unos días en un sitio y otros en otro, pero siempre juntos. El Orejones se vino a dormir a casa y me trajo su botijo «Recuerdo de Carcagente». El botijo era una hucha. Echamos nuestras primeras monedas. Habíamos decidido ahorrar para el que sería el mejor verano de nuestra vida: el próximo.

ENVIDIA PODRIDA

Te podría contar con bastantes pelos y bastantes señales cómo fue el cumpleaños del Orejones, pero acabarías como acabamos todos: empachados y hasta las narices. «Empachado» se refiere a la parte situada en la barriga, y «hasta las narices» se refiere a la parte situada en el cerebro.

Te resumiré la celebración del gran Orejas, aunque resumir no sea mi fuerte:

El cumpleaños del Ore duró dos días, porque como sus padres están separados y actualmente no se pueden ni ver, hicieron dos fiestas multitudinarias. La del lunes era la organizada por su madre, y los amigos y familiares fuimos convocados a las seis en El Tropezón, que es el impresionante bar donde celebramos los niños de mi barrio el cumpleaños, porque el McDonalds nos pilla retirado.

Como el Orejones es el único nieto por parte de madre vinieron los abuelos desde el pueblo, desde Carcagente, y fuimos a recogerlos un día antes al autobús. La abuela del Orejones casi no cabía por la puerta del autocar, se quedó completamente atrancada. El conductor empujaba desde dentro y nosotros tirábamos desde fuera; así que cuando por fin conseguimos desatrancarla, por poco nos caemos en masa al suelo con la enorme abuela encima. Hay abuelas que matan.

Una vez que nos recuperamos del susto, los abuelos-por-parte-de-madre del Orejones nos cogieron por banda y nos empezaron a estampar unos besos que te dejaban señalada la cara durante una hora y media. Para mí que a veces me confundían con el Orejones, porque no es normal que a primera vista esas personas me quisieran tanto. Sobre todo teniendo en cuenta lo poco que me quieren algunas otras que me ven todos los días.

—Oiga, debe de haber una confusión —les decía yo—, su nieto es el de las orejas.

El Orejones ha salido a sus abuelos-por-parte-de-madre en las orejas, es como una marca de familia, como su código de barras.

Mi amigo Ore siempre juega con ventaja en la vida porque su cumpleaños es en septiembre. Es el primer cumpleaños del año y las madres todavía no se han hartado de darnos dinero para los regalitos de nuestros colegas. Según avanza el curso, los regalos van bajando de categoría, y cuando llegas al de Arturo Román, que es el 20 de junio, y te pones delante de una madre haciendo la postura del egipcio, tu madre y la madre de cualquiera dice:

—¿Que te dé dinero para quéeeeeeeeee?

La postura del egipcio lleva siglos practicándose. Es una tradición hereditaria: se pone uno delante de una madre o padre o superior y, colocándose de perfil, echa una mano para delante y pone cara de póquer. Pueden pasar dos cosas: que tengas suerte y te echen alguna moneda, o que un padre o madre cruel pasen de ti y te dejen horas y horas en la misma postura. Así se quedaron muchos egipcios: momificados. Te darás cuenta de que como historiador no tengo precio.

Al cumpleaños de mi amigo vino también la psicóloga. Su madre la llamó por si tenía que hacerle al Ore una intervención de urgencia psicológica. Se la tuvo que hacer: le dio dos collejas, una por no dejarnos tocar sus regalos y otra por subirse a bailar, encima de una mesa de El Tropezón, una canción que puso el señor Ezequiel de las Azúcar Moreno. Tendrías que ver con qué maestría da la psicóloga Espe las collejas psicológicas. Parece como si mi madre le hubiera dado unas clases particulares. No me he atrevido nunca a preguntárselo por si me aplica el tratamiento. Todo el mundo estuvo de acuerdo en que la *sita* Espe es la mejor psicóloga de Carabanchel (Alto) y que sus métodos le sientan al Orejones estupendamente. A mí, personalmente, tratándose del Ore, me parece un tratamiento un poco blandito. Hay momentos en que mi querido amigo está pidiendo a gritos un electroshock.

La noche del día del cumpleaños del Orejones no cenamos en casa porque los abuelos-por-parte-de-madre se empeñaron en que el dueño de El Tropezón friera unas morcillas asesinas que habían traído del pueblo. Mi abuelo les dijo a los abuelos del Orejones, con un trozo de morcilla en la boca:

—Esto parece una boda. Esta noche, cuando lave mi dentadura va a salir el agua negra.

—¡Eso es alegría, Nicolás! —le contestó el abuelo del Ore.

El Imbécil se portó muy bien: cada vez que lo miraba estaba sentado encima de un abuelo distinto. No sufrió ninguno de sus célebres ataques de furia. Por un lado, se estaba haciendo el buenecito, y por otro estaba como loco con las morcillas. Cuando llegamos a casa y nos despedíamos de la Luisa en la escalera, se tiró un pedo mortal, de esos de tipo insonoro que te entran en la nariz sin avisar.

—¿Quién ha sido el cochino? —gritó mi madre.

El Imbécil levantó la mano. Es un cerdo sin complejos.

Como todavía íbamos por el segundo piso y se trataba de una cuestión de máxima urgencia, mi madre lo llevó rápidamente al váter de la Luisa, entre otras cosas porque la Luisa se lo ofreció amablemente. Qué insensata.

Nos metimos todos al cuarto de baño de la Luisa, que es completamente rosa y dorado, y está lleno de suaves alfombrillas y de botes con sales de colores para los baños de película de la Luisa. Es un váter tipo Hollywood. Y allí estábamos todos como lelos, esperando a que el Imbécil obrara en consecuencia, y él en la taza, como un príncipe. Lo vimos ponerse rojo, hinchar la cara como si fuera un globo, sacar las venas del cuello y de repente volver a su estado normal. Entonces, con una gran decisión, saltó del váter al suelo (es que todavía tiene las piernas muy cortas) y señaló dentro de la taza:

—La caca del nene.

Todos nos asomamos para verla y hubo un «¡Ooooh!» general al ver el producto, porque parecía imposible que de un cuerpo tan pequeño saliera algo tan inmensamente grande. Es un misterio que trae de cabeza a científicos de todo el mundo, muchos de ellos desesperados, que sintiéndose impotentes por no poder encontrar una explicación satisfactoria, se han retirado a una isla completamente desierta.

La caca, a la que a partir de ahora podemos llamar «morcilla» (por su origen), no se fue al tirar la Luisa de la cadena.

—Prueba otra vez —dijo mi madre, ya un poquito nerviosa.

La Luisa le dio otra vez a la cadena. Todos esperamos impacientes a que el agua dejara de correr, para ver si había habido suerte, pero no. Ahí seguía nuestra impresionante morcilla.

La Luisa y mi madre se quedaron un rato peleándose sobre cuál de las dos tenía que pagar al fontanero. Como no se ponían de acuerdo, pensaron en llevar este caso asqueroso al programa «Veredicto», un programa de la televisión en el que los amigos y los familiares van a sacarse los ojos delante de toda España y se hace un juicio, y luego un juez decide cuál de las dos partes tiene razón y todos se vuelven a su casa tan amigos. Pero Bernabé, mi padrino, es contrario a que mi madre y la Luisa se tiren de los pelos en la pequeña pantalla, así que les paró los pies y dijo que él se haría cargo de los desperfectos.

Al día siguiente, el martes, se celebró la segunda parte del cumpleaños del Ore. Tuvimos que ir a buscar a los abuelos-por-parte-de-padre al autocar. Llegaban del pueblo, de Carcagente, y sinceramente, acabaron de rematarnos. El Ore también ha salido a sus abuelos paternos en lo de las orejas. El pobre, con esos cuatro abuelos tipo-Dumbo, no tenía escapatoria genética.

El Cumpleaños por parte del padre se celebró en El Tropezón para no faltar a la tradición. El menú fue el mismo del día anterior. Los invitados, los mismos, incluida la psicóloga, que tuvo que utilizar su tratamiento de choque en dos ocasiones: cuando el Ore no nos dejaba ni tocar sus nuevos juguetes y cuando el Ore se empeñaba en subirse a la mesa para hacer un play back con la canción de *Macarena*, que había puesto el señor Ezequiel. A la madre del Ore no la gusta mancharse las manos pegando a su querido hijo, para eso tiene a la psicóloga; sin embargo, a mi madre la encanta hacer el trabajo sucio. No quiere matones a sueldo.

Después de la tarta, de volver a cantar el *Cumpleaños feliz* y todo ese rollo, los abuelos-por-parte-de-padre del Ore pusieron la guinda final: unos chorizos que le hicieron freír a la mujer del señor Ezequiel.

—Esto parece una boda —le dijo mi abuelo a los otros abuelos—. Cuando lave mi dentadura esta noche va a salir el agua roja.

—¡Eso es alegría, Nicolás! —le contestaron.

Por momentos, yo tuve la sensación de que ese día ya lo había vivido.

Se nos hicieron las once de la noche; allí nadie tenía intenciones de marcharse, hasta que el señor Ezequiel dijo:

—Bueno, clientela, que aquí mi señora y yo tenemos un límite. Echamos el cierre. El que se quede dentro, que se aguante.

El señor Ezequiel no bromeaba. A más de un plasta ha dejado dentro toda la noche. Él avisa sólo una vez, y luego, echa el cierre. Dice que no abrió un bar para ir convenciendo a los clientes uno a uno de que tienen que largarse a su casa.

El Orejones fue recogiendo sus regalos. La *sita* Asunción nos había dado la charla para que este año compráramos siempre juguetes educativos, así que yo le había comprado un Power-Ranger atómico; pero mi Power-Ranger se quedaba un poco ridículo al lado de los superregalos que le habían hecho todos sus abuelos de Carcagente.

Cuando volvíamos a casa, yo les iba diciendo a mis padres que el Ore tenía mucho morro porque, al estar sus padres separados, todo se le multiplicaba por dos. Mi padre dijo:

—Manolito, tu madre y yo nunca, nunca nos separaremos...

Mi madre cogió a mi padre del brazo con una sonrisa que, la verdad, daba un poco de corte.

—...y no nos separaremos —siguió mi padre—, porque los plazos que todavía debemos del camión y que terminaremos de pagar a mediados del siglo que viene, nos unirán más allá de la muerte.

Mi madre se puso de morros y pasó del amor al odio en breves instantes. Ella no conoce los términos medios.

Al Imbécil le entraron los apretones de la muerte cuando íbamos por las escaleras, concretamente por el segundo, el piso de la Luisa. Mi madre le intentó llevar a rastras hasta nuestra casa, pero el Imbécil dijo que no daba un paso más y que si lo daba que se lo hacía encima. Le dio a elegir a mi madre entre estas dos posibilidades. Mi madre llamó a casa de la Luisa y la suplicó, por favor, un váter para ese pobre niño. La Luisa torció la nariz pero le dejó pasar. Pasamos en procesión al ya famoso váter de Hollywood. El niño cagón se sentó. Todos le rodeamos. El Imbécil hinchó el globo de su propio cuerpo. La tensión flotaba en el ambiente y se mascaba la violencia también en el mismo ambiente. Cuando se levantó y vimos el regalito que había dejado, al que a partir de ahora llamaremos chorizo (por su origen), mi madre dijo con voz muy suave:

—Luisa, para qué discutir, yo pagaré al fontanero.

Pero Bernabé dijo que ni hablar del peluquín, que él se haría cargo de la caca de sus ahijados hasta que fueran mayores de edad y pudieran pagarse su propio fontanero. Yo la dije a mi madre que, teniendo en cuenta los problemas de atascamiento que traía cada dos por tres el producto interior bruto del Imbécil, que por qué no lo bajábamos todas las tardes al Parque del Árbol del Ahorcado a hacer caca con la *Boni*, la perra de la Luisa. Mi madre me dirigió una terrible mirada de odio. Quise continuar con la bromita, por aquello de hacer la gracia completa:

—Podemos recogerla con las bolsas para perros que ha puesto el Ayuntamiento.

Terminé de estropearlo. Mi madre pasó a la acción: me dio unas collejas de esas de efecto superretardado, y a los pocos minutos tenía el cogote que echaba fuego. Esa modalidad de tortura la guarda para las grandes ocasiones.

Yo me fui a la cama pensando que mientras viviera mi madre, no me podría ganar la vida como humorista, porque ella sería capaz de salir al escenario a darme dos galletas si el chiste no le caía en gracia. Pero ése no era mi principal problema aquella noche; lo que me inundaba el cerebro era la envidia podrida que estaba sintiendo por todos los regalos que aquella noche iban a rodear al Orejones.

Menos mal que lo que pasó en los siguientes días hizo que disminuyera mi envidia, que pasó de ser una envidia podrida a ser una envidia sana, que para los efectos, es lo mismo.

Pero esa historia terrorífica me la reservo porque se merece un capítulo aparte.

LAS LÁGRIMAS DEL OREJONES

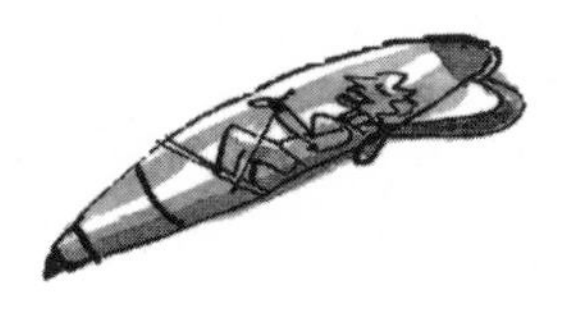

Ya sé que te gustaría saber cuáles fueron los regalos del supercumpleaños del Orejones, pero soy incapaz de acordarme. ¡Hubo tantos! Todavía ahora, dos semanas más tarde, el Orejones afirma, sin darle la menor importancia, que de vez en cuando se encuentra paquetes sin abrir por los rincones de su habitación. ¿Qué hace entonces?, se estará preguntando media España. ¿Los abre? Pues no, no los abre, porque el Orejones acabó escaldado de tanto regalo. Dice que los regalos sólo le han traído problemas.

El Orejones dice: «Para qué quiero tantas cosas si luego no soy feliz.» Y nosotros, sus verdaderos amigos, le decimos a coro:

—Pues danos algunas, a lo mejor eso te resuelve todos tus espantosos conflictos.

La gente de Carabanchel Alto somos así, sólo queremos el bien de nuestros semejantes. Pero no quiero empezar por el final, empezaré esta historia como siempre, por el principio de los tiempos:

Todo el mundo sabe que el Orejones celebró su cumpleaños dos veces, entre otras cosas porque lo he contado yo en el capítulo anterior de este magnífico ejemplar. Y todo el mundo sabe que como resultado consiguió ponernos a todos el estómago del revés (de todo lo que zampamos) y consiguió también, como ya te he dicho, miles y miles de regalos.

Al día siguiente de sus dos celebraciones, el Orejones fue a la escuela que parecía 3PO (el robot de *La guerra de las galaxias*): en una mano, llevaba puesto un reloj que tenía incorporado un mando a distancia para apagar la tele; en la otra mano, llevaba un reloj que tenía incorporado un teléfono sinalábrico; del pantalón le colgaba un cuentakilómetros de esos que te dicen cuánto has andado; se trajo también, para que lo viéramos, un cepillo de dientes a pilas que probamos todos los de mi clase, todos menos Jessica la ex gorda, a la que dentro de poco vamos a empezar a llamar Jessica la cursi. Decía la tía ex gorda que le daba asco meterse en la boca el cepillo que se había metido todo el mundo.

—Pero si somos de la misma clase —le intentaba explicar Arturo Román—. Si te lo pidiera uno del instituto Baronesa Thyssen lo entendería, pero siendo del mismo colegio...

Yo no entiendo para nada a la gente como Jessica, te lo juro: desconoce el significado de la palabra «compañerismo».

Bueno, ahí no quedaba la cosa: el Orejones se había puesto una gorra que llevaba una luz verde en la visera, por si en alguna ocasión se encuentra perdido en una carretera comarcal, pues que no le pille un coche. Que se hace de noche, pues nada, le das al interruptor y se te enciende la visera. Lo malo es que se crean que eres un extraterrestre y no te pare nadie, porque te diré que entre las orejas y la luz verde mi gran amigo el Orejones parecía algo distinto de un ser humano.

También le habían regalado unas de esas zapatillas que tienen luces en los talones que se encienden al pisar. Yihad le había comprado en lo de todo a cien un bolígrafo en el que salía una chica en la nieve, con unos esquís y vestida hasta las orejas para esquiar. La cosa es que cuando le dabas la vuelta al boli, se le iba quitando a la chica toda la ropa y se quedaba desnuda y con los esquís. Abajo se leía: «Recuerdo de Baqueira Beret». A mí me daba pena la pobre chica en un sitio tan frío y tan desnuda, pero luego pensaba que ¡bah!, que era de mentiras, como la sangre en las películas, y le bajaba y le subía la ropa sesenta veces por minuto.

¡Ah! Y para terminar se trajo una calculadora-despertador. Por si te quedas dormido en un examen en mitad de una operación matemática. No te rías: el Orejones es capaz. Dice que las divisiones de más de dos cifras le producen un efecto adormecedor inmediato. No sabe cómo hay personas que toman somníferos, con lo barato que es ponerse a uno mismo una división. Sólo con verla, dice el Ore, le empiezan a picar las orejas. Y cuando al Ore le pican sus inmensos alerones es que se va a caer roque de inmediato.

El caso es que cuando la *sita* lo vio entrar por la puerta (llegaba media hora tarde, como siempre), se tuvo que quitar las gafas de cerca y ponerse las de lejos para estar segura de lo que sus ojos estaban presenciando. En el aire flotaba la envidia que todos le teníamos al Orejones. Una envidia espesa que casi no nos dejaba ver a nuestro compañero de delante. Ese día todo el mundo hubiera querido ser su compañero de mesa, pero se tenían que jorobar porque su colega de pupitre soy yo: en los buenos momentos y en los malos, en la salud y en la enfermedad, cuando hay que sujetarle el pañuelo en la nariz rebosante de sangre, cuando se te duerme en el hombro o cuando hay que dejarle copiar el examen de principio a fin. Ha habido veces que lo ha copiado de tal forma que hasta ha escrito mi nombre en el encabezamiento en vez del suyo. Pero mi *sita* conoce de sobra la letra del Orejones, que es inconfundible, y sin que le tiemble la mano le atiza sin piedad un insuficiente.

Aquel día, la despiadada *sita* nos mandó unas cuantas cuentas asesinas. Cinco divisiones por dos cifras. Hay veces que me pregunto: ¿Cómo es posible que quepa tanta crueldad en una sola maestra? Me puse como siempre a morderme la lengua para estrujarme el cerebro (si no me muerdo la lengua no soy capaz de pensar), cuando vi que el Orejones, en vez de copiarme, sonreía. Sacó su calculadora-despertador de la cajonera y fue haciendo las operaciones. Fue genial: pusimos directamente el resultado, sin tener que hacer el desarrollo, que es un rollo, como la misma palabra dice.

Como nos estaba sobrando mucho tiempo, yo le pedí la señorita-esquiadora a mi gran amigo y la desnudamos para que la viera Paquito Medina, que se sienta detrás de mí. A los cinco minutos, Arturo Román y Óscar Mayer, que están detrás de Paquito, ya habían dejado el examen a medias y estaban casi de pie para ver a la chica-esquiadora. La *sita* vino hacia nosotros haciendo sonar sus tacones para atemorizarnos y, como era yo el que tenía el boli en la mano, me gritó:

—¿Qué es eso tan interesante, Manolito?

—Un boli... —Y empecé a rezar, aunque no sé, porque voy a Ética.

La *sita* me arrancó el boli de las manos. Al cogerlo ella, la ropa empezó a descender y la *sita* se cambió ahora las gafas de lejos por las de cerca.

—Manolito, ¿de dónde has sacado esta guarrería?

—No es mío, es del Orejones.

—Yo no lo he comprado, me lo regaló Yihad —dijo el Orejones.

—Yo se lo compré porque Mostaza tiene uno igual y el Orejones siempre había dicho que quería uno para su cumpleaños —dijo Yihad.

—Sí, yo tengo uno igual —dijo Mostaza—, pero nunca la desnudo.

Eso sí que no había nadie que se lo creyera.

Estuvimos un rato acusándonos los unos a los otros y cuando la *sita* llegó a la conclusión de que todos éramos culpables, se guardó el bolígrafo y dijo misteriosamente que tomaría medidas.

Luego siguió con su operación policial: vio la calculadora despertador en medio de los dos exámenes y nos comunicó que con esas cuentas nos ganaríamos un cero, y luego nos dio un discurso tan largo que lo he olvidado casi todo, menos que las calculadoras deberían estar prohibidas en los colegios, como las drogas y los pendientes en las orejas de los chicos.

Después del cero en Matemáticas, pasamos a

Conocimiento del Medio. Mi *sita* nos llevó al salón de actos para que viéramos un documental que ponían en la segunda cadena sobre la reproducción de los roedores. Dice que así se evita el capítulo de la reproducción humana, un capítulo que el año pasado no llegamos a terminar porque nos daba a cada momento la famosa risa incontenible.

Mientras íbamos por el pasillo, el Orejones llamó a su padre para decirle lo que teníamos ese día de menú en el comedor, y al instante llamó su padre para decirle que masticara bien el filete, no fuera a pasarle como el año pasado, que casi le tenemos que sacar del comedor con los pies por delante.

Cuando entramos en el salón de actos sonó el teléfono dos veces más: la primera, era su abuela de Carcagente, que también quiso saludar a la *sita* Asunción, y la segunda, la madre del Orejones, que llamó para decirle al Orejones que no se pusiera a hacer llamaditas en horas de clase. De todas formas no pudo hacer más porque la *sita* le confiscó el teléfono. Luego apagó la luz para que empezáramos a ver el documental y el Orejones pensó que aquél era el mejor momento para empezar a vacilar con su visera. Le dio al interruptor y la visera empezó a

apagarse y a encenderse. Tenía una luz verde que molaba un kilo y trescientos gramos. Toda la clase hizo: ¡Oooooh! La *sita* pensó que era por las imágenes que estaban saliendo en la tele (dos ratas blancas olisqueándose) y se volvió desde su primera fila para gritarnos:

—¡No empecéis como el año pasado!

Pero se dio cuenta de que pasábamos de las roedoras porque nos vio a todos mirando la cabeza encendida del Orejones. También le confiscó la gorra, y al rato la calculadora-despertador, que cada hora hace sonar el *Cumpleaños feliz.* La *sita* se mosqueó porque al oír la música nos pusimos todos a cantar. Lo normal. Tú prueba a escuchar la música del *Cumpleaños feliz* sin cantar la canción. Imposible. Si te pegaran los labios con esparadrapo, la seguirías cantando mentalmente. Los científicos hace tiempo que tiraron la toalla investigando este extraño proceso mental.

Pero lo que colmó el vaso de la paciencia de la *sita* Asunción fue que el Orejones le dio al mando a distancia de uno de sus relojes y la tele se cambió de la segunda cadena a la primera. De repente apareció en la pantalla una chica muy potente que presentaba un concurso de cultura bastante general. Yihad se puso a silbar a la presentadora y todos le seguimos como borregos. La *sita* le gritó al Orejones que cambiara a la segunda cadena, pero el Orejones le daba desesperadamente a todos los botones y la tía potente no se iba de la pantalla. Nosotros seguimos silbando porque la chica se lo merecía, sinceramente, y la *sita* gritó más, si cabe, al Orejones que la apagara. Pero el Orejones no supo. Casi llorando le dijo a la *sita* que si podía llamar a su padre (que trabaja en una tienda de comisos) para preguntarle. La *sita* dijo de una forma muy dramática:

—Yo le llamaré.

Tenías que haber visto a la *sita* siguiendo las instrucciones del padre del Orejones para desbloquear el mando a distancia. La *sita* se mordía la lengua como yo cuando hago mis divisiones.

Como resultado de aquel día, al Orejones le fueron retirados todos sus aparatos hasta cuando llegue ese día en que esté preparado psicológicamente para utilizarlos. Como esperen a ese día, desde luego el Ore no volverá a ver sus regalos en la vida. Por eso el Orejones nos confesó con lágrimas en los ojos en el Parque del Ahorcado:

—¿Para qué quiero tantas cosas si luego no soy feliz, si dicen que no tengo uso de razón para utilizarlas?

Todos sus amigos nos ofrecimos a que nos las regalara y entonces el Orejones, con una de sus sonrisas enigmáticas, dijo:

—Ahora que lo pienso, hay algo que sí que me hace feliz.

—¿Qué? —dijimos todos como un solo niño.

—Que no las tengáis vosotros.

Y aquellas lágrimas de tristeza se le volvieron lágrimas de felicidad.

LA VIDA ES DURA

Ayer me tuve que lavar los pies, y ahí no acaba lo malo, no te creas. Me los tuve que lavar a las ocho de la mañana, pero ahí tampoco acaba lo malo: ha empezado una época dramática en mi vida en que me tendré que lavar los pies todos los días a las ocho de la mañana. Así de cruda se presenta mi existencia este año. No lo hago por afición (a ver si te crees que soy uno de esos tíos raros que se lavan por afición, sin que nadie se lo mande), lo hago porque he empezado el colegio. Claro que tú dirás:

—Muy bien, otros años has empezado el colegio y también otros años tu madre se ponía pesada con ese asuntito de la limpieza corporal, pero tú sabías escaquearte, Manolito. Nadie te podrá acusar de haberte duchado todos los días.

Es cierto, pero es que el curso pasado la *sita* Asunción, antes de que nos fuéramos de vacaciones, les dijo a los padres de Cuarto B (mi clase) que la mezcla de los sudores de nuestros cuerpos era peligrosamente explosiva y que había momentos, sobre todo cuando volvíamos del recreo, en que creía que iba a perder el conocimiento. La *sita* les dijo también que algunas tardes de invierno, cuando tenemos la clase cerrada a cal y canto para que no entre el frío, el olor corporal, al que podemos llamar a partir de ahora O. C., que despiden nuestros cuerpos se ve como una boina sobre nuestras cabezas, como esa boina gris que se pone encima de Madrid por la contaminación y que nos enseñó el año pasado en una clase de Conocimiento del Medio. Como verás, la *sita* aprovecha cualquier insulto para enseñarnos y cualquier enseñanza para insultarnos. Nos da una educación muy completa.

La *sita* siguió diciendo que como la cosa no se

solucionara nuestros padres tendrían que acabar comprándole una careta antigases y unas bombonas de oxígeno para renovarse de vez en cuando el aire. Mi señorita dice que a nosotros no nos hace falta renovar el aire porque somos niños mutantes. Igual que las carpas del estanque del Retiro están acostumbradas ya a comer el chicle que le echamos todos los niños de España, nosotros podemos sobrevivir en un ambiente putrefacto.

La *sita* terminó su discurso consolando a nuestros padres:

—Por lo demás son unos niños estupendos. Yo les quiero bastante, sobre todo en los tres meses que están de vacaciones. —Y dicho esto la *sita* se dio media vuelta y se fue riéndose de su propia ocurrencia.

Cuando nos tiene cerca nos quiere menos. Eso me pareció el primer día de curso, no había quien le arrancara una sonrisa, y eso que hicimos bastantes gracias, pero nada, no comparte nuestro gran sentido del humor.

Total, que mi madre quiere que quede muy claro este curso, ante Carabanchel (Alto) y ante el mundo mundial, que los guarros siempre son otros y no su hijo, y entonces ha decidido que este año me va a sacar brillo antes de ir a la escuela; así que no sólo tengo que ducharme alguna noche, como sería lo normal, ahora tengo que prepararme para la revisión de por las mañanas.

¡Con lo bien que lo pasaba yo en otros tiempos quitándome esas bolillas negras que salen entre los dedos de los pies mientras veía mi programa favorito en la televisión! Pruébalo: relaja cantidad. Recomendado por psicólogos de todo el mundo contra el estrés.

Pero no todas las sorpresas fueron malas a la hora de empezar la escuela este año. Unos días antes de que llegara el día del principio del curso, al que a partir de ahora llamaremos día F (de Fatídico), me enteré de que mi madre había apuntado al Imbécil al preescolar que hay en mi escuela. El preescolar consiste en unas clases donde los niños se pasan la vida jugando y cantando y durmiendo a ratos, mientras los profesores se dan codazos diciéndose los unos a los otros:

—Qué ingenuos, se creen que el colegio es esto. No saben lo que les espera en el futuro. Ja, ja, ja.

Hay profesores que deberían estar protagonizando películas de terror.

Para mí fue una gran noticia que el Imbécil viniera conmigo a la escuela. Comprenderás que no es un plato de gusto para nadie ver cómo tú tienes que ir con los pies lavados y cargado con la cartera a la tortura del colegio, y, mientras, tu querido hermanito se queda en brazos de tu madre con el pijama todavía puesto. Eso duele. Y eso que el Imbécil, como me copia todo, se pasó el año pasado jugando todas las mañanas a que iba a la escuela. La verdad es que este niño y yo únicamente nos parecemos en los apellidos.

A lo que iba, que este año no fui el único pringado que salió de casa de los García Moreno; un nuevo integrante de la tribu de los Pies Limpios se me unió: el Imbécil.

Él también llevaba su mochila; claro que nada que ver con la mía. La mía llevaba en su interior cosas serias: esos libros nuevos que nos machacarán el cerebro durante meses; mientras que en la suya mi madre había metido unos clínex para los mocos, un chupete de urgencia por si le da un ataque de ira repentina y unos pantalones de repuesto por si decide que el váter del colegio queda muy lejos de su clase.

Mi abuelo nos llevó al colegio y llegamos tarde,

como suele ocurrir. Todo el mundo estaba empeñado en decirle cosas al Imbécil por ser su primer día (de mí pasaban bastante, la verdad): la Luisa y mi madre le tiraban besos por la ventana, el dueño de El Tropezón nos decía adiós con la mano, y hasta la panadera le regaló un cuerno de chocolate. Y eso es un acontecimiento para apuntar en la historia del SIGLO XX, porque la Porfiria tiene sus normas, y jamás se las ha saltado. Tú mismo las puedes leer en un cartel que preside la panadería:

EN ESTE ESTABLECIMIENTO NI SE FÍA
NI SE REGALA, NI SE REBAJA, NI SE NADA.
Panadería Porfiria

El Imbécil parecía el Rey de España saludando con la mano a diestro y también a siniestro, y encantado de ser el centro del universo. Yo pensaba:

«Ya se te acabará la felicidad, pequeño.»

Pero la reacción del Imbécil fue imprevisible, como siempre. Yo creía que cuando fuéramos a entrar en el colegio se pondría a llorar, como cualquier niño civilizado ante una situación dramática como ésa. En fin, yo pensaba que haría lo que cualquier otro novato en su situación: agarrarse con furia a una farola o a un banco, o tirarse al suelo como último recurso. Lo que han hecho todos los niños en su primer día de clase a lo largo de la historia de la humanidad. Pues no. El Imbécil se despidió de mi abuelo con una de sus sonrisas arrebatadoras y pasó por la puerta grande del colegio como si tal cosa. Eso sí, no había forma de convencerle de que el cuerno de chocolate era para el recreo.

—El nene quiere su cuerno.

—Pues el nene se aguanta porque aquí no te dejan que te los comas hasta el recreo —le dije yo, que soy un experto a la fuerza en normas escolares.

Me miraba como diciendo: «Qué tontería. ¿Quién implantó esa norma?» Me miraba como diciendo eso, te lo juro. Es que el Imbécil tiene poco vocabulario, pero sus pensamientos son bastante profundos. Una señorita le cogió de la mano para llevarlo a la puerta de su clase y él le explicó sin alterarse lo más mínimo, pero soltándose:

—El nene quiere con Manolito.

—Luego, en el recreo, te vas con tu hermano. —Y se lo llevó con una de esas sonrisas con las que las enfermeras meten a los locos en el manicomio.

En mi clase, mi *sita* me recibió con el mismo cariño de siempre:

—El primer día de clase y llegas tarde: empezamos bien, Manolito.

A los diez minutos ya nos tenía haciendo divisiones para demostrar ante el mundo mundial que habíamos olvidado todo lo del curso anterior y que nos habíamos pasado el verano de relax, quitándonos las famosas bolillas de los pies, y que no habíamos hecho ni uno solo de los cuadernillos de cuentas que ella nos mandó. Es una maestra masoquista: le gusta comprobar que sus órdenes nos entran por uno de nuestros oídos y nos salen por el otro. También es una maestra sádica: la gusta hacernos sufrir desde el primer minuto del primer día de curso. Para ser exactos: es una maestra sadomasoquista. Lo tiene todo. Y no lo digo por criticar, que a mí no me gusta hablar mal de la gente.

Bueno, pues ahí estaba yo mordiéndome la lengua mientras hacía una de esas divisiones que te hunden moralmente, cuando se abre la puerta de la clase y entra un niño de unos cuatro años con una mochila. El niño ese se acerca a la *sita* Asunción y la dice con todo el morro del que es capaz un ser humano:

—El nene quiere con Manolito.

Y luego va el niño, me busca, y se viene a mi lado. Ese niño de la mochila, como ya habrás adivinado, no era otro que el Imbécil. La *sita* vino entonces hacia nosotros:

—Manolito, llévate a tu hermano a su clase.

Qué fácil es decir eso: «Llévate a tu hermano.» No sabía mi *sita* lo difícil que es quitarle a mi hermano una idea de la cabeza. No se imagina mi *sita* lo que la espera cuando el Imbécil llegue a ser alumno suyo. Se acordará de mí con nostalgia. Dirá:

—Yo, que echaba pestes de Manolito, ahora me doy cuenta de que era un pedazo de pan con gafas.

Allí tenía al Imbécil, fugado de su clase y con la intención de que nada ni nadie le separase de mí.

Media España se estará preguntando: ¿Cómo actuó Manolito en aquellos difíciles momentos? No era fácil, en eso estarás de acuerdo conmigo, pero yo soy un niño con recursos. Le dije unas cuantas cositas al oído, y entonces, se me quedó mirando un momento y, sin mucho convencimiento, decidió irse a su clase. Antes de que saliera de la mía entró su señorita, jadeando y muy asustada. A ninguna señorita la gusta perder un niño el primer día de curso. Da mala imagen delante de los padres.

El Imbécil se quedó todavía unos minutos diciendo adiós con la mano y toda mi clase le despidió haciendo lo mismo. Las dos señoritas le dejaron despedirse a sus anchas. No sé cómo consigue ser el mimadito de la humanidad.

Luego mi *sita* me preguntó:

—Manolito, ¿qué le has dicho?

—Que al colegio se viene a aprender y que hay que obedecer a la señorita de uno. —Sí, aunque no te lo creas, esas palabras salieron de mi boca.

Mi *sita* se fue lentamente a su mesa y desde allí me estuvo mirando toda la mañana. Yo creo que de vez en cuando se pellizcaba para comprobar que estaba despierta y que había oído aquellas sorprendentes palabras. Ella no piensa que un niño como yo pueda volver de unas vacaciones completamente reformado. Ella no cree en los milagros.

Pero los numeritos del Imbécil aún no habían acabado. Cuando salimos al recreo, su pobre señorita (a la que estaba empezando a compadecer) se me acercó con cara de angustia para contarme que mi hermano se había montado en el único columpio que tienen los pequeños y que llevaba una hora columpiándose sin dejárselo a nadie. Cuando llegué al patio de preescolar pude asistir a un triste espectáculo: el Imbécil se columpiaba como un loco y se reía por las alturas, mientras otros niños le señalaban haciendo pucheros porque llevaban mucho tiempo esperando para subirse.

En aquellos momentos me sentí como ese policía en quien todos confían para que tenga una charla con el asesino. Estarás de acuerdo conmigo en que era una situación terriblemente delicada.

—¡Para un momento, que te voy a decir una cosa!

El Imbécil paró en seco sin soltar, por supuesto, el columpio. Todos los niños habían detenido por un instante sus llantos.

Yo le dije una cosa al oído y el Imbécil dejó el columpio inmediatamente.

—¿Qué le has dicho? —me preguntó su señorita.

—Que eso no se puede hacer, que en el colegio se aprende a ser generoso y a compartir. —Como verás, cada vez me salía mejor el papel de niño reformado—. Es que mi madre le tiene muy mimadito y, claro, luego se porta como un salvaje. Siempre tengo que estar poniendo paz allá donde él va.

—Gracias, Manolito —me dijo la *seño* y me dio un beso. No es por presumir pero creo que me estaba convirtiendo en su héroe y era una sensación muy agradable porque la *seño* de mi hermano está bastante potente.

Han pasado ya varios días desde que empezó el curso y he tenido que intervenir en cinco ocasiones: una, porque el Imbécil le estaba dando todo su cuerno a la perra del conserje (él sólo es generoso con los animales); dos, porque le había estado levantando toda la mañana las faldas a una niña de su clase (mi madre y la Luisa le ríen la gracia cuando se la levanta a ellas, y ahora no entiende que a todas las mujeres no las gusta eso); tres, porque mojaba el chupete en el vaso de agua de las acuarelas; cuatro, porque no quería salir del váter (eso lo entiendo); cinco, porque cantaba otra canción que la que había dicho la maestra, y lo hacía a voz en grito, sin cortarse ni un pelo.

Así que comprenderás que la señorita Estrella, que así se llama la víctima, y yo nos hemos hecho íntimos. Al fin y al cabo, compartimos una misión imposible, la educación del Imbécil.

Bueno, acabaré este capítulo contando la verdad verdadera, que es mucho más triste:

Yo nunca le conté al Imbécil todo ese rollo de la generosidad, ni eso de compartir, ni nada por el estilo. Eso al Imbécil le trae al fresco y no porque no lo entienda, sino porque jamás nadie le podría convencer con esos argumentos. La única manera de convencer al Imbécil, y te lo digo yo que lo conozco mejor que su propia madre, la única manera de convencerle es pillarle su debilidad, y la debilidad del Imbécil tiene un nombre: los bollos de la señora Porfiria.

Para convencerlo de que se fuera de mi clase, le prometí mi bollicao del día siguiente, y para convencerle de que dejara el columpio, le prometí mi cuerno de dos días después. Así que en estos momentos le tengo prometidos casi todos los bollos de los dos próximos meses. Viendo cómo están transcurriendo las cosas y el carrerón delictivo que lleva, es muy posible que durante este curso me quede sin bollos en el recreo. Para que luego digan que no quiero a mi hermano, y soy capaz de renunciar a las cosas que más me gustan por hacer de él un niño civilizado. Así de dura es la vida.

Bueno, hay una última verdad que me he callado: esos sacrificios también los hago para que la señorita potente del Imbécil no pierda la admiración que me ha tomado. Es lo mejor que me ha pasado en mi vida planetaria.

Me entran ganas de tener cuatro años menos para poder ir a su clase, o de tener quince años más para esperarla a la salida del colegio. Cuando le conté esto, a mi abuelo no le pilló de sorpresa. Me dijo que él ya se había fijado y que a él también le gustaba:

—Pero para mí es muy joven y para ti es muy vieja, Manolito.

Sólo mi abuelo está enterado de todo lo que me gusta la señorita Estrella. Me gusta más que cualquier bollo de la señora Porfiria, para que te hagas una idea. Así que te pido que no se lo cuentes a nadie, para que no se rían de mí los niños de mi clase.

NOTA

Espero que los lectores disculpen los errores gramaticales y otras incorrecciones que aparecen en el libro. Tanto los editores como yo hemos querido ser fieles a la voz del personaje. Puede que, con unos años más dentro del sistema educativo, Manolito supere estos fallos. De momento, entendemos que conforman su personalidad literaria.

ÍNDICE

Impreso en Huertas Industrias Gráficas, S. A.
Camino Viejo de Getafe, 60
Pol. Industrial El Palomo
28946 Fuenlabrada
(Madrid)